JN008199

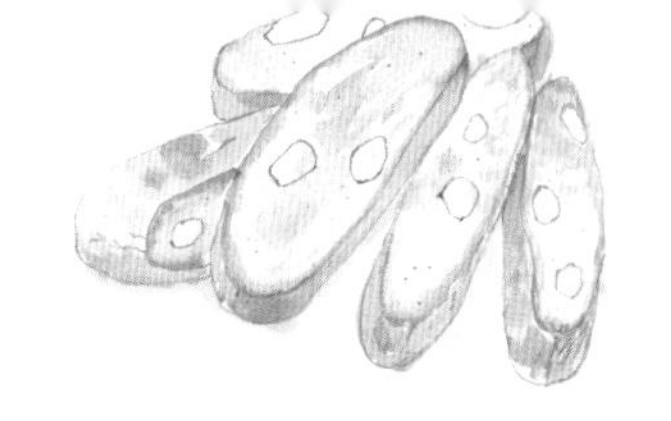

ピノッキオと巡る イタリアお菓子の旅

岩本 彬・文　向井順子・絵

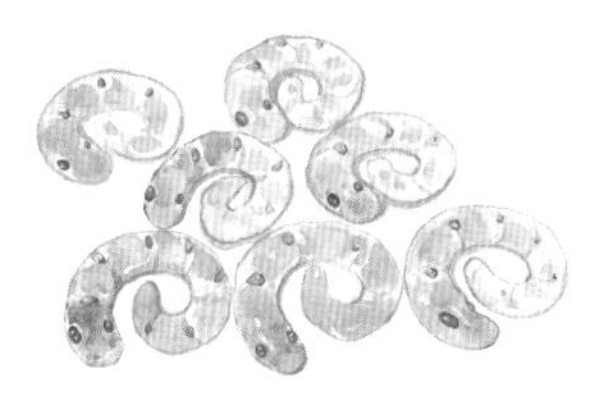

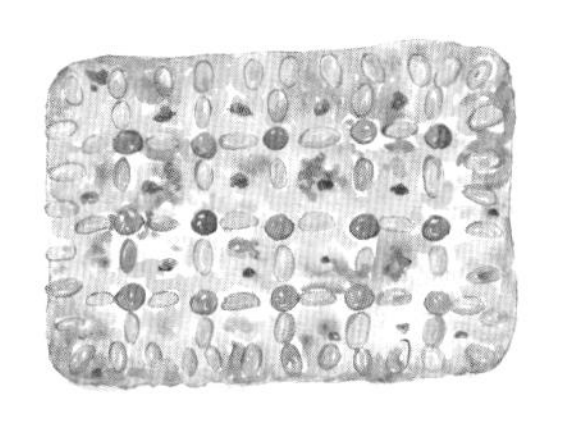

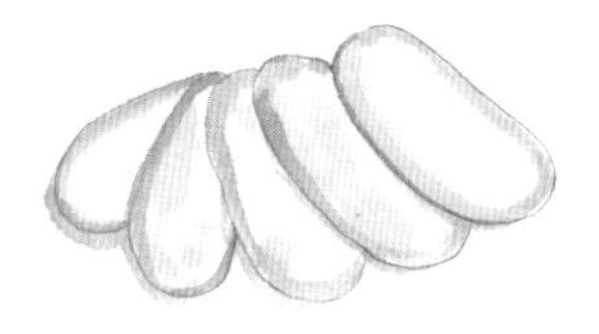

コスミック出版

はじめに

イタリア菓子と聞いてあなたは何を思い浮かべますか？
ティラミス？　パンナコッタ？　ガリガリと固いビスコッティ？
本書では、私がイタリア滞在時にお世話になったイタリア菓子屋のおばぁちゃん"フランチェスカ"から習ったイタリア各地の郷土菓子の数々が登場します。
聞きなれないお菓子たちが多数登場しますが、どれも古くから現地で親しまれ今もこよなく愛される、素朴ながら味わい深いものばかりです。
さぁピノッキオとともにイタリア菓子を巡る旅に出ましょう!!

indice

ブックデザイン
林 陽子(Sparrow Design)

シチリアのお菓子

シチリアを始めサルデーニャ、プーリア、カラブリア、バジリカータなどイタリア南部の郷土菓子は、遠い昔アラブより伝わったアーモンドやオレンジなどをはじめ、セモリナ粉やアーモンドの粉を使うものが多くあります。またバターなどはほとんど使用されず、動物性の油（ストゥルット）や卵白を使ったものなどが多々あります。

シチリアのお菓子屋さんや家庭で広く親しまれている "Pasta di mandorle"（シチリア風アーモンドビスコッティ）はドレンチェリー以外にもアーモンド、ピスタチオ、松の実、イチジクなどさまざまな飾りつけがあり見た目も楽しい焼き菓子。

"Reginelle"（biscotti regina/ゴマのビスコッティ）はアフリカ原産といわれるゴマが9世紀にアラブ経由でシチリアにもたらされたもので、バターではなく動物性の油（ストゥルット）特有の触感が癖になる味わいであり、シルクロードを経て中国や台湾のお菓子の風味と似かよっています。

"Genovese"（ジェノヴェーゼ）はシチリア西部の山の上にある中世の街エリチェの銘菓。"ジェノヴァ風"と言う名前のついた由来はエリチェ近郊の港町トラーパニとジェノヴァの交易が盛んで、お菓子の形とジェノヴァ海軍の帽子の形が似ていたため。エリチェの修道院に訪れたジェノヴァ宗教徒の帽子に似ていたためなどさまざまです。カスタードクリーム以外にもリコッタクリームやヘーゼルナッツチョコクリームなどが入ったものもあり、地元で古くから愛されているお菓子。

"Gelo"（ジェーロ）はシチリアに古くから伝わる麦スターチを使用し、常温で固まる夏の風物詩。
スイカ以外にもレモン、シナモン、チョコレートなどさまざまな味わいが楽しめます。シチリアのお菓子屋さんや家庭ではスイカのジェーロをタルト生地に流し込み焼き上げる"Crostata di gelo di anguria"などもあり、さまざまな楽しみ方があります。ぷるんとした独特の触感は日本のういろうの触感を思わせます。

Pasta di mandorle

シチリア風アーモンドビスコッティ

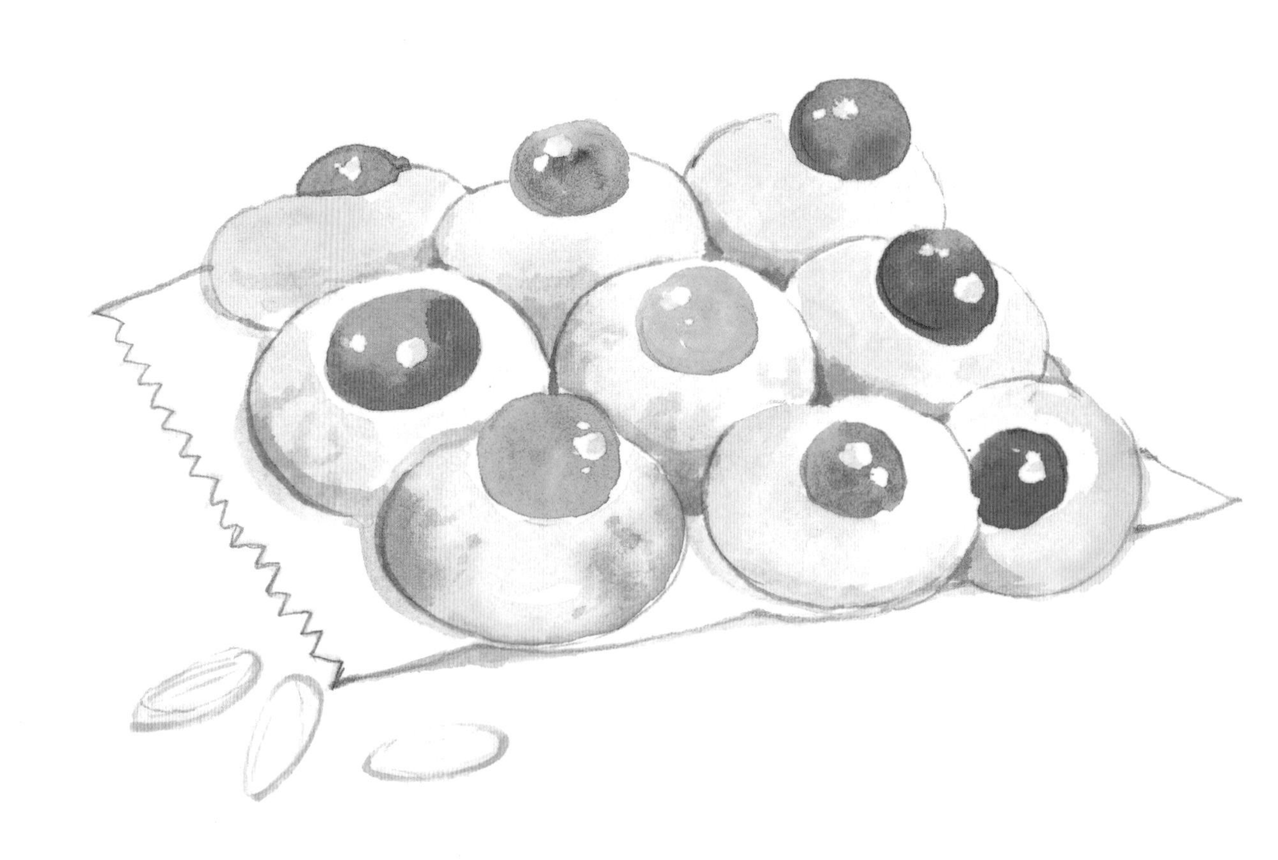

memo

アーモンドの粉でつくる外はカリッと中はねちっとした食感の焼き菓子。

材料

アーモンドプードル　250g
グラニュー糖　200g
卵白　2個分
蜂蜜　10g
オレンジの皮のすりおろし（少々）
ドレンチェリー赤、緑（仕上げ用）

つくり方

1　ボウルに仕上げ用以外の材料をすべて入れ、手のひらで握り潰すように生地をまとめていく。

2　生地がきれいにまとまったら、1個20gずつに分け、ボール型に成型する。

3　オーブンシートを敷いた天板に並べ、縦半分に切った仕上げ用ドレンチェリーを乗せ、180℃に温めたオーブンで約16〜18分間焼き上げる。

Reginelle (Biscotti regina)

シチリア風ゴマのビスコッティ

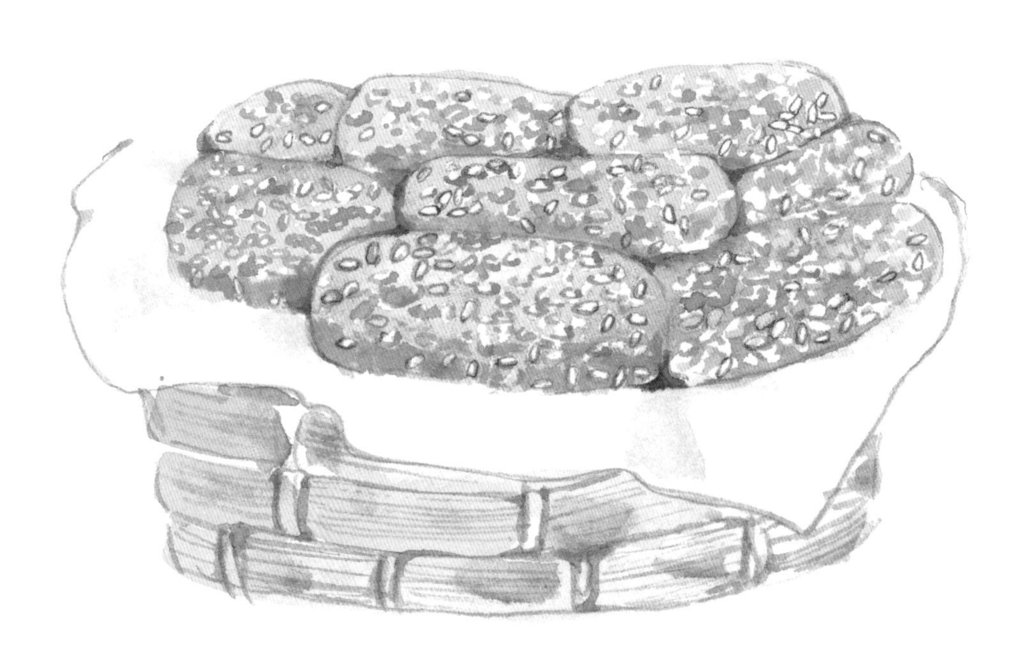

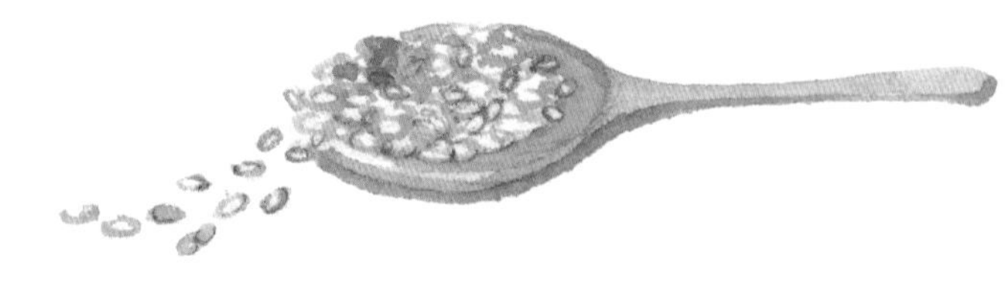

memo

ラードのザックリとした仕上がりとゴマの風味がゆたかな"女王のビスコッティ"。

材料

小麦粉(薄力粉)250g
グラニュー糖　125g
ラード　125g
全卵　1個
レモンの皮のすりおろし(少々)
ベーキングパウダー 6g
塩　ひとつまみ
ゴマ　75g(仕上げ用)

つくり方

1. ボウルに仕上げ用以外の材料をすべて入れ、手の平で握り潰すように生地をまとめていく。
2. 生地がきれいにまとまったら、1個20gずつに分け、俵型になるように成型する。
3. ゴマを入れたお皿の上で生地を転がし、まんべんなくゴマをつける。
4. オーブンシートを敷いた天板に並べ、180℃に温めたオーブンで約25分間焼き上げる。

Gelo di anguria

スイカのジェーロ

memo

シチリアの夏の定番菓子。ういろうのような、ぷるんとした食感のお菓子。
スイカ以外にもレモン、ブラッドオレンジ、シナモン味などが親しまれています。

材料

スイカ果汁　500mℓ
グラニュー糖　60～80g（スイカの甘さにより甘さはお好みで調節）
浮き粉（麦スターチ）45g
チョコチップ　少量（飾り用）
ローストして細かく砕いたピスタチオ　少量（飾り用）
型抜きする場合は、水に濡らしておくこと

つくり方

1　スイカの実の部分のみミキサーで回して漉す。

2　鍋に1とグラニュー糖，浮き粉を加え中火で絶えずかき混ぜながら、とろみがつくまで熱する。

3　鍋底からボコボコと大きな気泡が立ちはじめたら火からおろし、型に流し込む。

4　常温で冷まし、冷蔵庫に入れさらに冷やす。

5　チョコチップ、ローストし細かく砕いたピスタチオを飾る。

Genovese

ジェノヴェーゼ

memo

シチリア西部天空の古都エリチェ銘菓。
ザックリした生地にカスタードが挟まった優しい味わいのお菓子。

材料

生地
セモリナ粉　125g
薄力粉　125g
グラニュー糖　100g
バター　100g
卵黄　2個分
水　10mℓ

カスタードクリーム
牛乳　250mℓ
卵黄　1個分
グラニュー糖　50g
レモンの皮のすりおろし　1/2個分
コーンスターチ　20g
粉糖（仕上げ用）

つくり方

〈生地のつくり方〉

1　常温に戻したバターをボウルに入れよく練り、グラニュー糖を少しずつ加えながら白っぽくなるまで泡立て器で混ぜる。

2　1に卵黄を加えよく混ぜ、水を加えさらに混ぜる。

3　2にセモリナ粉と薄力粉を合わせて加え、生地を一つにまとめ、ラップをかけ冷蔵庫で1時間休ませる。

〈カスタードクリームのつくり方〉

1　ボウルに卵黄、グラニュー糖、コーンスターチを加え泡立て器でよく混ぜる。

2　鍋に牛乳、レモンの皮を入れ軽く火にかける。レモンの香りを牛乳に移したら皮を取り除く。

3　2を1のボウルに少しづつ加えながら泡立て器でよく混ぜる。

4　3を鍋に移し中火にかけ絶えずかき混ぜながら炊き、底のあたりから固まってきたら弱火にしてさらに混ぜる。

5　鍋底から気泡が上がってきたら火からおろし、バットに移して表面にラップをぴったりとかけそのまま冷やす。

〈成形、焼き上げ〉

1　セモリナ粉で台に打ち粉をし、生地をめん棒を使って4㎜の厚さにのばし、直径9㎝の丸形で抜く。

2　生地の1枚にクリームを35〜40gのせ、もう1枚の生地をめん棒で軽くのばしてからかぶせる。ふちを指で軽くおさえて上下の生地をとめ、更に直径9㎝の丸形で上から抜く。

3　200℃に予熱したオーブンで約10〜12分、生地に焼き色がつくまで焼く。冷めたら粉糖をたっぷりかける。

サルデーニャのお菓子

地中海に浮かぶサルデーニャ島はイタリア本土とはまた違った文化、歴史があり、そこに伝わる郷土菓子もより土着的なものが多くあります。特に祭りに関するお菓子が多く、同じお菓子でも部族や地域ごとに呼び方やレシピもさまざまな点も面白い。シチリア同様に特産のアーモンドを中心にオレンジなどの柑橘類や、地元で採れる蜂蜜やサーパ（濃縮葡萄液）を使用し、素朴ながら優しい甘さが特徴のお菓子が多々あります。

"Gueffus"（グエッフス）は焼かないお菓子として地元で採れたアーモンドを惜しみなく使用し、各家庭ごとのリキュールの使い分けが面白い可愛らしいアーモンド菓子。

"Amaretti Sardi"（サルデーニャ風アマレッティ）はサルデーニャに伝わるアマレッティで、イタリア北部で有名なアマレッティとは触感も異なるお菓子。しっかり乾燥焼きされた北部のものとは違い、表面はカリッと中はねちっとしたアーモンドの濃厚な味わいが特徴で、北部のものよりも大粒です。

"Pabassinas"（パバッシナス）は他に"Papassinos"、"Pabassini"、"Pabassinu"（パパッシノス、パバッシーニ 、パバッシーヌ）とさまざまな方言で呼ばれ、サルデーニャでもそれぞれの地方によりレシピが多数存在します。11月1日の諸聖人の日につくられるお菓子で、干しブドウを意味する言葉が名前の由来となっており風味ゆたかな味わいが特徴です。

Gueffus

グエッフス
（サルデーニャ風アーモンドボール）

memo

サルデーニャに古来より伝わるアーモンドの粉を固めて丸めた祝い菓子。

材料

アーモンドプードル　300g
グラニュー糖　200g
水　100㎖
レモンの皮のすりおろし　1個分
リキュール（ミルト、サンブーカ）40㎖
オレンジフラワーウォーター　2〜3滴
グラニュー糖（仕上げ用）

つくり方

1　鍋にグラニュー糖、水、リキュール、オレンジフラワーウォーターを加え沸騰させアルコールを飛ばす。

2　1の鍋にレモンの皮のすりおろしと、アーモンドプードルを数回に分けて加え、絶えずヘラで混ぜる。

3　生地がまとまってきたらバットに移し粗熱をとる。

4　温かいうちに手に水をつけ1個20〜25gに丸め、グラニュー糖を入れた皿の上で転がし砂糖をまんべんなくつける。

5　ラックで乾燥させる

<ラッピング>

15㎝×15㎝のワックスペーパーの左右5㎝程度に切り込みを入れ、中心にお菓子を置いてキャラメル包みにする。

Amaretti sardi

サルデーニャ風アマレッティ

memo

アーモンドの粉と砂糖、卵白でつくる外はカリッと中はねちっとした
アーモンドの香りゆたかなお菓子。

材料

アーモンドプードル　200g
グラニュー糖　200g
卵白　2個分
レモンの皮のすりおろし　1個分
皮なしアーモンド　適量（飾り用）
グラニュー糖　適量（飾り用）

つくり方

1. ボウルに卵白、グラニュー糖を加え良く混ぜしっかり角の立つメレンゲをつくる。
2. 1にアーモンドプードル、レモンの皮のすりおろしを加えヘラでさらに混ぜ合わせていく。
3. 生地がまとまったら1個30gに丸め、グラニュー糖を入れた皿の上で転がし、砂糖を全体につける。
4. オーブンシートを敷いた天板に並べ、生地の中心に飾り用の皮なしアーモンドを突き刺し、170℃のオーブンで約20分、焼き色がつくまで焼く。

Pabassinos

パバッシナス

memo

サルデーニャ各地に伝わるナッツやレーズンの風味ゆたかな味わいの祝い菓子。

材料

薄力粉　250g
ストゥルット　75g
グラニュー糖　100g
全卵　1個分
牛乳　40mℓ
ベーキングパウダー　6g
アニスシード　少量
シナモンパウダー　少量
オレンジの皮のすりおろし　1個分
レモンの皮のすりおろし　1/2個分
レーズン　75g
アーモンド　125g
クルミ　125g
卵白　1個分（仕上げ用）
粉糖　80g（仕上げ用）
カラースプレー、アラザン　適量（仕上げ用）

つくり方

1　レーズンはぬるま湯で戻し水気を絞り、アーモンド、クルミは180℃のオーブンでローストして粗みじん切りにする。

2　ボウルに全卵、グラニュー糖を加え泡立て器でよく混ぜ、牛乳、ストゥルットを加えさらに混ぜる。

3　粉類、スパイス類、オレンジの皮、レモンの皮を加え滑らかになるまで混ぜ、レーズン、アーモンド、クルミを合わせ全体がまとまるまでこね、冷蔵庫で1時間寝かす。

4　台に出し打ち粉をし、生地をめん棒を使って1㎝の厚さにのばし、1辺が約3㎝の長さのひし形に切る。オーブンシートを敷いた天板に並べ、180℃に予熱したオーブンで約15分焼いて冷ます。

〈仕上げ〉

1　ボウルに卵白を入れ粉糖を少しずつ加えながらしっかり角が立つ固めのメレンゲまで泡立てる。

2　焼きあがったお菓子の表面にメレンゲを薄く塗り、カラースプレーやアラザンで飾りつけ、メレンゲを乾燥させる。

Toscana

トスカーナのお菓子

イタリア中部トスカーナの郷土菓子はルネッサンス期より伝わる香辛料をふんだんに使用した宮廷菓子、修道院菓子や山々の木の実やドライフルーツを使用した素朴な農民菓子など多種多様です。

日本でも広く知られている焼き菓子"ビスコッティ"。
イタリア各地にはさまざまなビスコッティがあり、中でも一番有名なのが"Cantucci"（カントゥッチ）。
フィレンツェ近郊のプラート発祥で,アーモンドの香ばしさと小麦の焼き切った味わいがたまらない。カフェは勿論,御当地デザートワインの"ヴィンサント"に浸しながら食べるのがおすすめです。

同じくトスカーナ州の菓子屋で習った"Biscotti di fichi"（イチジクのビスコッティ）は赤ワイン、ドライイチジク、きび砂糖の味わいゆたかなガリガリ系ビスコッティ。チョコチップ、オレンジピールなどが入った色々な味のビスコッティを販売するビスコッティ専門店もあるほどイタリア菓子ではメジャーな焼き菓子です。

"Budino di riso"（フィレンツェ風お米のブディーノ）はフィレンツェのバール、パスティッチェリアではお馴染みの御当地菓子。
柔らかく炊かれたお米とタルト生地の組み合わせは、カップッチーノとともに3時のおやつにぴったり。イタリアではお米を使ったお菓子が数多く存在し、同州ではカーニバル時期に"Frittelle di riso"（お米のフリッテッレ）と呼ばれるお米を使った揚げ菓子が有名です。

"Castagnaccio"（カスタニャッチョ）は栗の産地トスカーナに古くから伝わる農民菓子。その昔、他の材料が手に入らず栗の粉とまわりにあるものだけでつくったとされるシンプルなこのお菓子は、砂糖が入らず、栗の粉本来の甘みがたまらない素朴な味わいです。

Cantucci

カントゥッチ

memo

イタリア菓子の定番。アーモンド、卵、小麦粉のシンプルな味わいのガリガリ系ビスコッティ。カフェやデザートワインに浸して食べるのがオススメ。

材料

薄力粉　250g
ベーキングパウダー　4g
全卵　1個分
卵黄　1個分
グラニュー糖　200g
アーモンド　125g
塩　ひとつまみ

つくり方

1 180℃のオーブンでアーモンドをローストする。

2 ボウルに全卵、卵黄、グラニュー糖を入れ、泡立て器でよく混ぜる。

3 2に薄力粉、ベーキングパウダー、アーモンド、塩を加え、手で混ぜ合わせていく。

4 生地がまとまったら台に取り出し、生地を半分に分け、約20㎝×4㎝のなまこ型(長方形)にする。

5 オーブンシートを敷いた天板に乗せ、180℃のオーブンで25分焼く。

6 生地を取り出し、粗熱が取れたら幅1.5㎝の斜め切りにし、再び天板に乗せて180℃のオーブンで約15分焼き、水分をしっかり飛ばす。

Biscotti di fichi

無花果のビスコッティ

memo

トスカーナのお菓子屋さんで習ったイチジク、赤ワイン、シナモンの風味ゆたかなガリガリ系ビスコッティ。

材料

薄力粉　220g
ベーキングパウダー　4g
全卵　1個分
きび砂糖　150g
ドライいちじく　100g
赤ワイン　30mℓ
オリーブオイル　20g
シナモンパウダー　少量

つくり方

1　ドライいちじくを一口大にカットし、赤ワインをふりかけておく。

2　ボウルに全卵、きび砂糖、シナモンパウダー、オリーブオイルを加え、泡立て器でよく混ぜる。

3　2に薄力粉、ベーキングパウダー、ドライいちじく（赤ワインごと）を加え、手で混ぜ合わせていく。

4　生地がまとまったら台に取り出し、生地を半分に分け、約20cm×4cmのなまこ型（長方形）にする。

5　オーブンシートを敷いた天板に乗せ、180℃のオーブンで30分焼く。

6　生地を取り出し、粗熱が取れたら幅1.5cmの斜め切りにし、再び天板に乗せ180℃のオーブンで10分焼き、断面をひっくり返してさらに10分焼いて水分をしっかり飛ばす。

Budino di riso
(Risottini)

フィレンツェ風お米のブディーノ

memo

フィレンツェのお菓子屋さん、バールではお馴染みの御当地菓子。
タルト生地と牛乳で柔らかく炊いたお米の組み合わせ。

材料

タルト生地

薄力粉　200g
バター　140g
グラニュー糖　100g
全卵　1個分
バニラエッセンス　少量
オレンジの皮のすりおろし　1/2個分
レモンの皮のすりおろし　1/2個分

リピエーノ

米　150g
牛乳　400cc
バター　60g
グラニュー糖　80g
全卵　1個分
卵黄　1個分
オレンジの皮のすりおろし　1/2個分
レモンの皮のすりおろし　1/2個分
シナモンパウダー　少量

つくり方

〈生地のつくり方〉

1　ボウルに室温に戻したバターとグラニュー糖を加え、泡立て器でよく混ぜる。

2　全卵、バニラエッセンス、オレンジ、レモンの皮のすりおろしを加え、さらによく混ぜる。

3　薄力粉を加え、粉っぽさがなくなるまで手でよく混ぜ合わせていく。

4　生地がまとまったらラップに包み、冷蔵庫で30分ほど寝かせておく。

〈リピエーノのつくり方〉

1　手鍋にお米、牛乳300ccを加え、火にかけて炊いていく。

2　火加減は表面がふつふつしている状態で約30分ほど。米が柔らかくなるまで炊いていく（途中で牛乳が足りなくなってくるので、残りの100ccを足しながら仕上げていく）。

3　おかゆのようにボテッとした状態になったら、グラニュー糖、バターを加え、混ぜ合わせる。

4　粗熱が取れたら全卵、卵黄、シナモンパウダー、オレンジ、レモンの皮のすりおろしを加え、よく混ぜ合わせる。

〈成形、焼き上げ〉

1　生地を台に取り出し5㎜の厚さにのばしていく。バターを塗り、粉をはたいた好みのマフィン型や小判型に生地を敷き詰め、お米のリピエーノを詰める（バターを塗り粉をはたいた型は、冷凍庫で冷やしておくと型抜きがしやすい）。

2　180℃のオーブンで30〜35分焼く。

3　粗熱が取れたら型から取り出し、たっぷり粉糖をふりかけて仕上げる。

Castagnaccio toscano

トスカーナ風カスタニャッチョ

memo

トスカーナの秋の味覚の栗を使用した栗の粉本来の優しい甘さや風味の農民発祥菓子。

材料

栗の粉　250g
レーズン　50g
松の実　50g
塩　2g
オリーブオイル　20g
水　325g
ローズマリー　少量

つくり方

1　レーズンはぬるま湯につけて15分置く。

2　ボウルに栗の粉、水、オリーブオイル、塩を加え、泡立て器でよく混ぜる。

3　水気を切ったレーズンを加え、よく混ぜる。

4　オリーブオイルを塗った型に流し入れ、松の実、ローズマリーを散らし、オリーブオイル(大さじ1杯)を回しかけ、200℃のオーブンで約30分焼き上げる。

Umbria

ウンブリアのお菓子

イタリア中部ウンブリアの郷土菓子は修道院や農民発祥のお祝い事のお菓子が数多く存在します。

"Torciglione"（トルチリオーネ）はウンブリア州はペルージャに伝わるクリスマスのアーモンド菓子。
独特な形の起源は、トラジメーノ湖付近の村より伝わり、"ヘビ"と"うなぎ"の2種類の説があります。長寿や生命を示すシンボルを象ったこのお菓子は、クリスマスに限らずペルージャのお菓子屋さんで見かけることのできる伝統菓子で、とぐろを巻いたトルチリオーネが並ぶショーケースは圧巻の見応えです。

"Pampepato"（パンペパート）はウンブリア州テルニに中世より伝わるクリスマス菓子。
その昔修道院でつくられたものが、各家庭まで伝わり現在はテルニ中で愛されています。
さまざまな木の実、ドライフルーツ、たっぷりのハチミツ、チョコレート、スパイスを使用した贅沢な味わいで、トスカーナ州のシエナに伝わる"Panforte"（パンフォルテ）のルーツにもなったと言われています。
エミリア-ロマーニャ州のフェッラーラには"Pampapato"（パンパパート）という別名"法王のパン"と呼ばれる中世の修道院でつくられたお菓子があり、こちらもチョコレートやナッツ、スパイスを使ってつくられます。
どのお菓子も中世の修道院発祥菓子は当時宝石よりも高価であったチョコレートや希少であったスパイスをふんだんに使ってつくられ、それぞれの街が栄え権力者に統治されていたことがうかがえます。

"Ciaramicola"（チャラミコラ）はペルージャに古くより伝わる復活祭のトルタで、メレンゲの白色とアルケルメスで染まった赤色の生地はペルージャの州旗を表し、独特の円形の形はペルージャ中心部の広場の噴水と5つの門を表すとされています。トッピングに使用されるカラースプレーにも、赤（火を起こす木）、黄（パンをつくるための小麦粉）、緑（山や畑の野菜）、青（トラジメーノ湖の水や魚）とそれぞれに意味があります。

"Tozzetti"（トッツェッティ）はウンブリア州を中心にイタリア中部に伝わるアーモンドとアニスシードの入った御当地ビスコッティ。アーモンドに限らずヘーゼルナッツとアニスの組み合わせなど、店や各家庭によりさまざまです。

Torciglione

トルチリオーネ

memo

ペルージャに伝わる蛇の形をしたクリスマスのアーモンド菓子。

材料

アーモンドプードル　115g
薄力粉　10g
グラニュー糖　100g
卵白　1個分
レモンの皮のすりおろし　1/2個分
ドレンチェリー赤　1個（飾り用）
皮なしアーモンド　9個（飾り用）

つくり方

1. ボウルにアーモンドプードル、薄力粉、グラニュー糖、レモンの皮のすりおろし、卵白を加え、手で混ぜ合わせていく。
2. 生地がまとまったら、手で転がしながら棒状にのばしていき、太さ3㎝のとぐろ状に成型する。へび型に仕上げる。
3. 生地の端から3㎝の部分は頭として、それ以降は胴体部分として飾りつける。頭の部分は横かハサミで切り込みを入れ、飾り用のアーモンドを挟み込み、半分にカットしたドレンチェリーを目の位置に置く。
4. 胴体部分はハサミで2㎝間隔で斜めに切り込みを入れ、切り込みに飾り用アーモンドを差し込む。
5. 160℃のオーブンで約35分軽く焼き、色がつくまで焼く。

Pampepato di Terni

テルニのパンペパート

memo

テルニに古くより伝わるクリスマス菓子。さまざまなナッツ、ドライフルーツ、ハチミツ、チョコレート、スパイスがぎっしり入った風味ゆたかなチョコレート菓子。

材料

アーモンド　125g
クルミ　125g
ヘーゼルナッツ　125g
レーズン　75g
オレンジピール　75g
レモンピール　75g
カカオパウダー　100g
薄力粉　150g
オリーブオイル　30g
はちみつ　200g
エスプレッソ　30cc
白コショウ　少量
シナモン　少量
クローブ　少量
コリアンダー　少量
マルサラ酒　30cc
仕上げ用ビターチョコレート

つくり方

1 ナッツ類は180℃のオーブンで軽くローストし、各種1/2カットする。

2 小さな手鍋ではちみつ、オリーブオイルを温めておく。

3 レーズンはぬるま湯に15分つける。

4 ボウルにナッツ類、ドライフルーツ類、オレンジピール、レモンピールを加え、手でよく混ぜ合わせる。

5 カカオパウダー、小麦粉、スパイス各種を加え、さらによく混ぜる。

6 熱したはちみつ、オリーブオイル、エスプレッソ、マルサラ酒を加え、さらによく混ぜる。

7 手にオリーブオイルを軽くつけ230gずつのドーム状に成型し、オーブンシートを敷いた天板に並べ、180℃のオーブンで15～20分焼く。

8 粗熱が取れたら、40℃で溶かした仕上げ用ビターチョコレートに白コショウ(少量)を加えたものでコーティングし、チョコレートが完全に固まるまで冷ます。

Ciaramicola umbra

ウンブリア風チャラミコラ

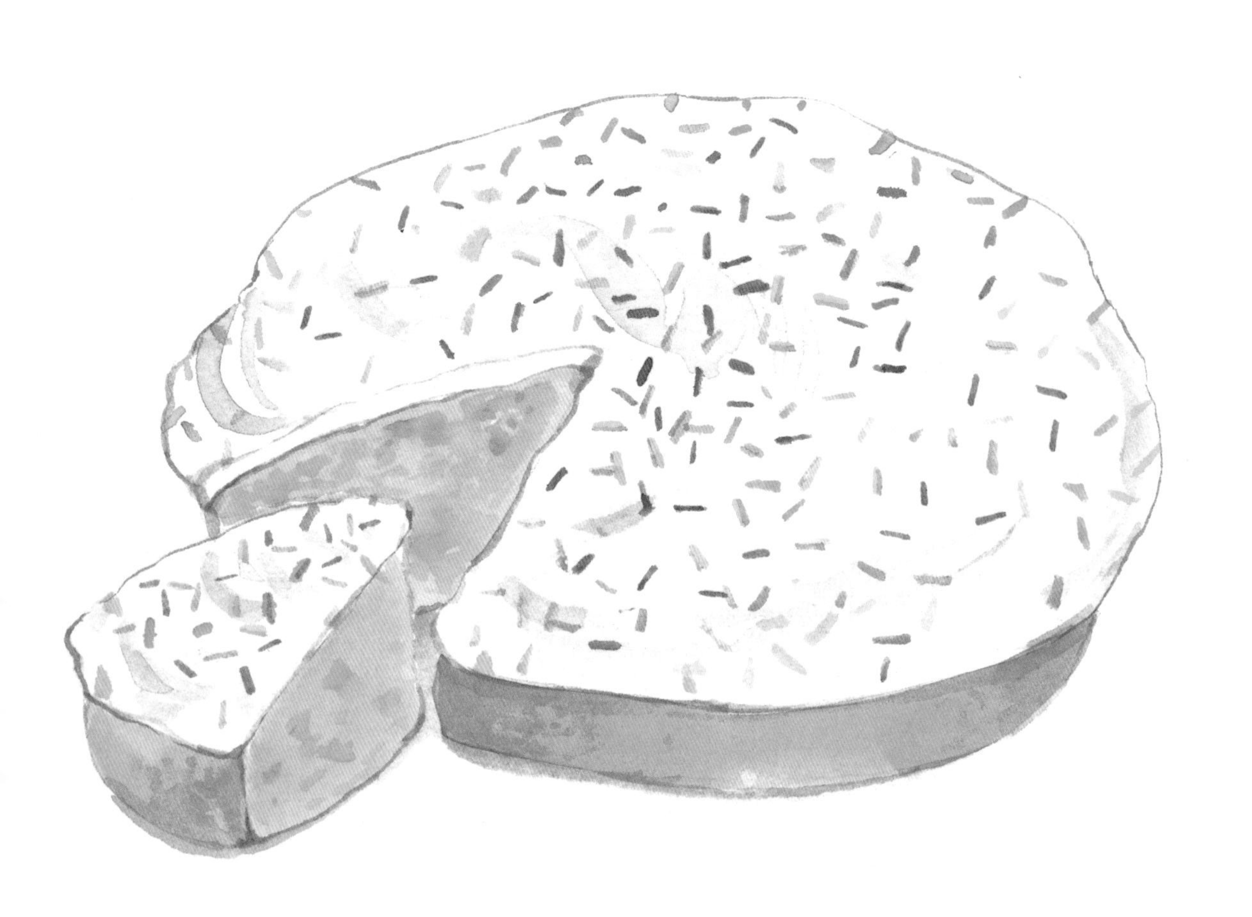

memo

ペルージャに古くより伝わるパスクワ(復活祭)菓子。
街のシンボルカラーが色鮮やかな御当地トルタ。
たっぷりのメレンゲとアルケルメス、柑橘の香りゆたかなトルタ生地の組み合わせ。

材料

薄力粉　265g
全卵　2個
ストゥルット　80g
グラニュー糖　135g
ベーキングパウダー　12g
レモンの皮のすりおろし　1/2個分
オレンジの皮のすりおろし　1/2個分
アルケルメス　80cc

仕上げ用メレンゲ
卵白　65g
グラニュー糖　130g
カラースプレー　適量

つくり方

1 ボウルに全卵、グラニュー糖を加え、泡立て器で白っぽくもったりするまでよく混ぜる。

2 ストゥルットを加え、さらによく混ぜる。

3 薄力粉、ベーキングパウダー、レモン、オレンジの皮のすりおろし、アルケルメスを加え、さらによく混ぜる。

4 リング型に生地を流し込み、160℃のオーブンで40分焼く。

5 仕上げ。ボウルに卵白を加え泡立て器でよく混ぜ、グラニュー糖を3回に分けて加え、しっかり角が立つまで泡立てる。

6 焼き上がり型から外した生地の全体にしっかり泡立てたメレンゲを乗せ、カラースプレーを全体にふりかけ、90℃のオーブンで15～20分メレンゲを乾燥させる。

Tozzetti

トッツェッティ
（アニス風味のビスコッティ）

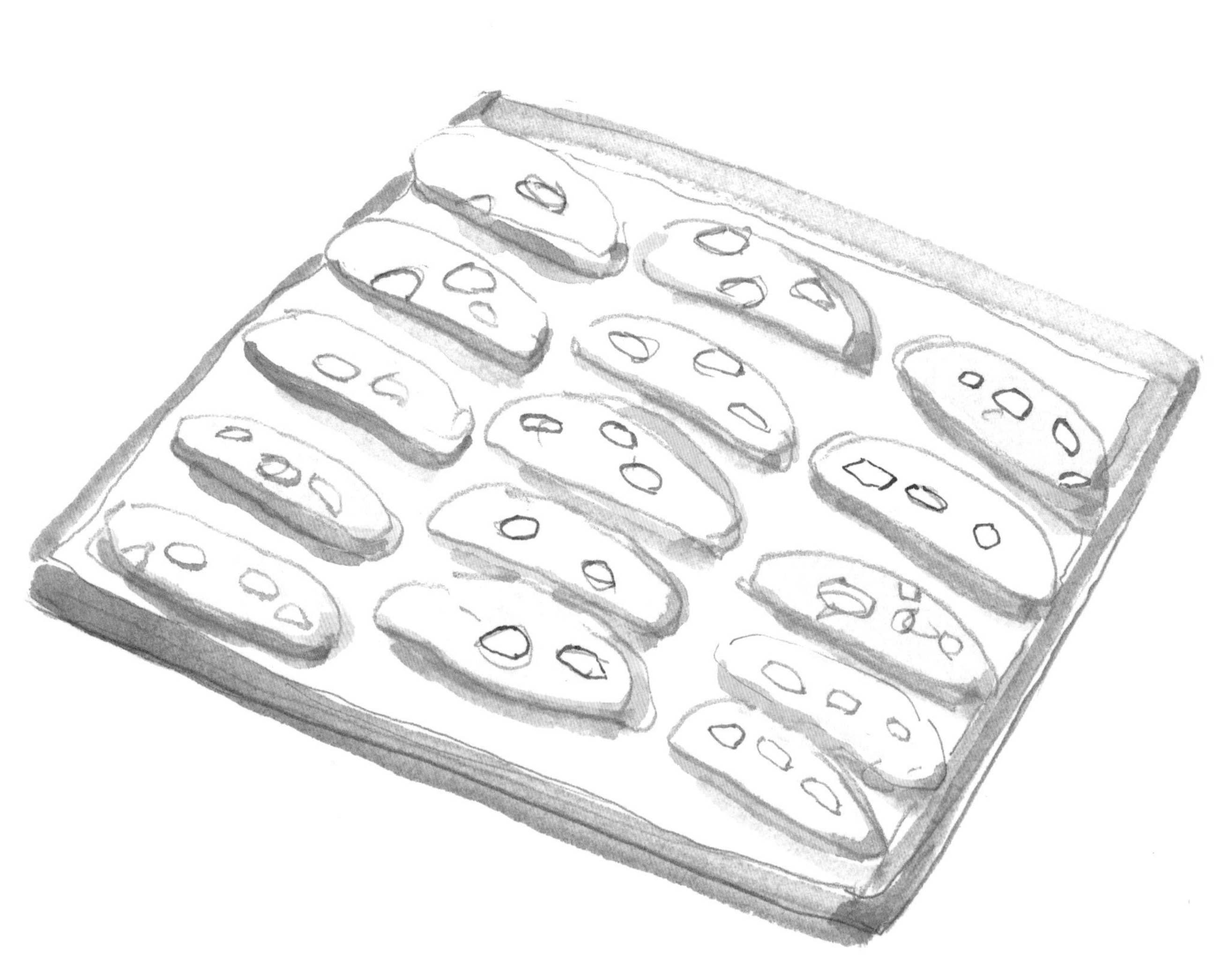

memo

アニスシードの清涼感のある風味と小麦粉、アーモンドの味わいゆたかなガリガリ系ビスコッティ。

材料

薄力粉　220g
全卵　1個分
グラニュー糖　100g
ベーキングパウダー　3g
オリーブオイル　30g
アーモンド　50g
アニスシード　少量
シナモンパウダー　少量

つくり方

1 180℃のオーブンでアーモンドをローストし、刻んでおく。

2 ボウルに全卵、グラニュー糖を加え、泡立て器でもったり白っぽくなるまでよく混ぜる。

3 薄力粉、ベーキングパウダー、アニスシード、シナモンパウダー、アーモンド、オリーブオイルを加え、全体がまとまるまで手でこねる。

4 生地がまとまったら台に取り出し、生地を半分に分け、約20㎝×4㎝のなまこ型(長方形)にする。

5 オーブンシートを敷いた天板に乗せ、180℃のオーブンで30分焼く。

6 生地を取り出し、粗熱が取れたら幅1.5㎝の斜め切りにし、再び天板に乗せて180℃のオーブンで10分焼く。断面をひっくり返してさらに10分焼き、水分をしっかり飛ばす。

Marche, Abruzzo

マルケ、アブルッツォのお菓子

イタリア中部マルケは山々の木の実やドライフルーツ、スパイスを使用する素朴な農民発祥のお菓子が多くあります。
また、私自身のイタリア郷土菓子との出会いの地でもあり、滞在時にお世話になったおばぁちゃんとの出会いの地と始まりの地です。

"Torta alla cannella"（シナモンのトルタ）は家庭的なトルタであり、シナモン、卵のシンプルな味わい。ふんわりした食感と鼻をくすぐるシナモンの香りがたまりません。

"Torta di mele"（リンゴのトルタ）はリンゴがぎっしり詰まった家庭的なトルタでリンゴの爽やかな香りと優しい甘さが特徴です。
どちらのトルタも焼く時にバターの代わりにオリーブオイルや牛乳を使用するのは、中部ならでは。日曜日の朝におばぁちゃんが焼いてくれた思い出のお菓子です。

その他に、オリーブオイル、牛乳、エスプレッソの油脂分で焼き上げる"Torta al caffè"（コーヒーのトルタ）や、オリーブオイル、オレンジ果汁で焼き上げる"Torta all'arancia"（オレンジのトルタ）など、混ぜて焼くだけの簡単トルタを色々習いました。

"Ciambelline al vino"（ワインのリングクッキー）はラッツィオの物が有名ですが、イタリア各地に伝わり、各家庭でさまざまな味わいがあります。マルケ州のノンナ（フランチェスカ）から習ったチャンベッリーネは赤ワインベースでシナモン、アニス風味が特徴。白ワインなどでつくるレシピなどもあります。

"Pepatelli"（ペパテッリ）はマルケ州の南に位置するアブルッツォ州の御当地ビスコッティ。
イタリア滞在時にお世話になったオーナーバリスタのおじぃちゃんとアブルッツォ州北部の港町"ペスカーラ"にサッカー観戦に行った際に必ず食べた、蜂蜜のほのかな甘み、アーモンドの香ばしさにブラックペッパーのアクセントがたまらないガリガリ系ビスコッティです。

Torta alla cannella

おばあちゃんのシナモンのトルタ

memo

マルケ州でお世話になったお菓子屋さんのおばぁちゃん直伝のトルタ。
小麦粉、卵、シナモンの優しい味わい。

材料

薄力粉　160g
全卵　2個分
きび砂糖　150g
ベーキングパウダー　12g
シナモンパウダー　15g
牛乳　80g
オリーブオイル　100g
バニラエッセンス　少量

つくり方

1 ボウルに全卵、きび砂糖を加え、泡立て器で白っぽくもったりするまでよく混ぜる。

2 牛乳、オリーブオイル、バニラエッセンスを加え、さらによく混ぜる。

3 薄力粉、ベーキングパウダー、シナモンパウダーを加え、ゴムベラでさっくり混ぜ合わせる。

4 バターを塗った型に生地を流し込み、180℃のオーブンで約40分、焼き色を見ながら焼き上げる。

5 型から外し、表面に粉糖をふりかけ仕上げる。

Torta di mele

おばあちゃんのリンゴのトルタ

memo

イタリア各地で親しまれている家庭菓子。
りんごの爽やかな甘さのふんわりしっとり食感で、おばあちゃんがよく焼いてくれた思い出のトルタ。

材料

薄力粉　160g
全卵　2個分
グラニュー糖　150g
ベーキングパウダー　12g
リンゴ　4個
牛乳　100g
オリーブオイル　30g
バニラエッセンス　少量
シナモンパウダー　少量

つくり方

1 リンゴ3個は皮をむいて、芯を取り、1口大にカットする。1個は上に乗せて焼くため、皮はむかずに芯だけを取り、薄くスライスする。

2 ボウルに全卵、グラニュー糖を加え、泡立て器で白っぽくもったりするまでよく混ぜる。

3 牛乳、オリーブオイル、バニラエッセンスを加え、さらによく混ぜる。

4 薄力粉、ベーキングパウダー、シナモンパウダーを加え、ゴムベラでさっくり混ぜ合わせる。

5 カットしたリンゴ3個分を加え、さっくり混ぜ合わせる。

6 バターを塗った型に生地を流し込み、平らにならして表面に皮つきリンゴスライスを並べ、きび砂糖(分量外)少量をかけ、180℃のオーブンで約50分焼く。

Ciambelline al vino

ワインのリングクッキー

memo

赤ワイン、オリーブオイル、シナモンの風味ゆたかなリングクッキー。
ガリッとした食感は噛めば噛むほど小麦の味わいが口いっぱいに。

材料

薄力粉　180g
ベーキングパウダー　3g
グラニュー糖　50g
オリーブオイル　50g
赤ワイン　50g
シナモンパウダー　少量
アニスシード　少量

つくり方

1 ボウルにオリーブオイル、赤ワイン、グラニュー糖を加え、泡立て器でよく混ぜる。

2 薄力粉、ベーキングパウダー、シナモンパウダー、アニスシードを加え、手で一つにまとめていく。

3 生地がまとまったらラップをして30分室温で寝かせる。

4 15gに生地を取り分け、8cmの棒状に手のひらで伸ばして両端を合わせリング状にする。

5 グラニュー糖(分量外)を入れた皿の上に成形した生地を置き、全体にグラニュー糖をつける。

6 オーブンシートを敷いた天板に並べ、180℃のオーブンで約18分焼く。

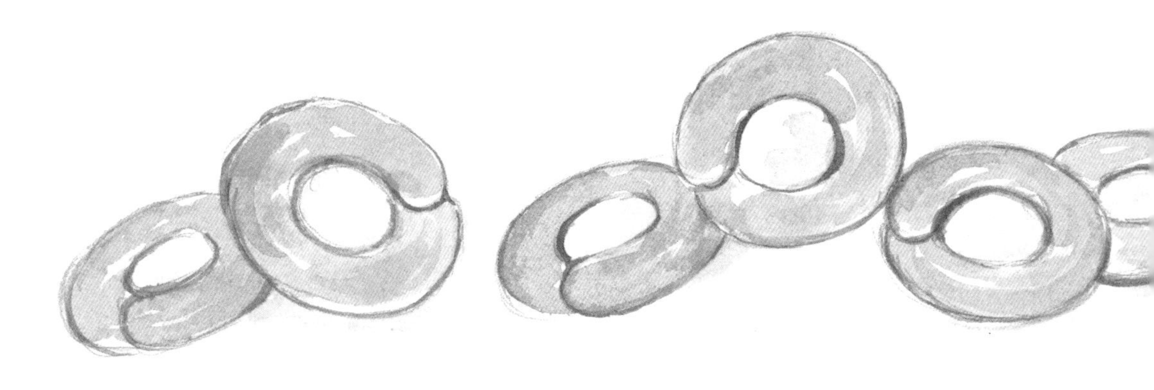

Pepatelli

ペパテッリ
（黒胡椒風味のビスコッティ）

memo

アブルッツォ州の御当地菓子。
アーモンド、卵のシンプルな味わいにブラックペッパーがアクセントのガリガリ系ビスコッティ。

材料

薄力粉　220g
全卵　1個分
グラニュー糖　100g
ベーキングパウダー　3g
オリーブオイル　30g
はちみつ　20g
アーモンド　50g
ブラックペッパー　少量
シナモンパウダー　少量

つくり方

1 180℃のオーブンでアーモンドをローストし、刻んでおく。

2 ボウルに全卵、グラニュー糖を加え、泡立て器でもったり白っぽくなるまでよく混ぜる。

3 薄力粉、ベーキングパウダー、ブラックペッパー、シナモンパウダー、アーモンド、オリーブオイル、はちみつを加え、全体がまとまるまで手でこねる。

4 生地がまとまったら台に取り出して生地を半分に分け、約20㎝×4㎝のなまこ型(長方形)にする。

5 オーブンシートを敷いた天板に乗せ、180℃のオーブンで30分焼く。

6 生地を取り出し、粗熱が取れたら幅1.5㎝の斜め切りにし、再び天板に乗せて180℃のオーブンで10分焼く。断面をひっくり返してさらに10分焼き、水分をしっかり飛ばす。

Emilia-Romagna

エミリア-ロマーニャのお菓子

イタリア北部エミリア-ロマーニャの郷土菓子は、歴史的背景から見てもルネッサンス期に栄えた街のお菓子や、修道院発祥のものが多く見られます。

"Torta tenerina"（トルタテネリーナ）はエミリア-ロマーニャ州の東に位置するロマーニャ地方の古都フェッラーラに伝わる濃厚なチョコレートトルタ。
粉をほとんど使わず、しっとりとした食感とチョコレートと卵の濃厚な味わいが特徴です。
フェッラーラは古くよりチョコレート菓子が盛んであり、他にも街を代表する"Pampapato"（パンパパート）などがあり、チョコレート専門店も多く見かけられます。

"Spongata"（スポンガータ）はエミリア-ロマーニャ州の西寄りのエミリア地方のモデナ、ピアチェンツァ発祥の古代ローマ帝国時代に起源を持つ古典菓子。
白ワインやバター、オリーブオイルの入った練りパイ生地に、ハチミツ、洋酒、木の実がたっぷりのリピエーノが入ったスパイシーなクリスマス菓子。
クリスマスのみならず、聖シルベストロの日（大晦日）などエミリア-ロマーニャ州の冬に欠かせない祝い菓子となっています。
現在では街を代表するお菓子となり年中買うことができますが、家庭などでつくる場合、リピエーノは仕込んでから日が経つにつれ味わいが深くなるため、最低でも30日は寝かす必要があり、現地のマンマ達は11月頃から仕込み始めます。
また「カノッサの屈辱」で有名なカノッサ城（神聖ローマ皇帝ハインリッヒ４世が雪の中懺悔して教皇グレゴリウス７世に破門の許しを乞うた場所）の城主でトスカーナ公カノッサのマティルダの大のお気に入りのお菓子だったと言われています。

Torta tenerina

トルタ　テネリーナ

memo

古都フェラッーラに伝わる御当地トルタ。
濃厚なチョコレートのしっとりした味わい。

材料

ビターチョコレート　200g
無塩バター　100g
グラニュー糖　150g
卵黄　3個分
卵白　3個分
薄力粉　50g
牛乳　25g
塩　少量

つくり方

1. ビターチョコレートとバターを湯煎にかけ、溶かしておく。
2. ボウルに卵黄とグラニュー糖の半分を加え、泡立て器で白くもったりするまでよく混ぜる。
3. 別のボウルに卵白と残りのグラニュー糖を加え、泡立て器でしっかり角が立つまで泡立てる(グラニュー糖は2、3回に分けて加えること)。
4. 卵黄とグラニュー糖が入ったボウルに溶かしたチョコレート、バター、牛乳を加え、ゴムベラで混ぜ合わせる。
5. 4のボウルに薄力粉と塩ひとつまみを加え、さっくり混ぜ合わせる。
6. 5のボウルに泡立てたメレンゲを3回に分け加え、混ぜ合わせる(1回目はしっかり混ぜ合わせる。2回目、3回目はさっくり混ぜ合わせる)。
7. オーブンシートを敷いた型に生地を流し込み170℃のオーブンで30分焼く。
8. 粗熱が取れたら型から外し粉糖をふりかける。

Spongata

スポンガータ

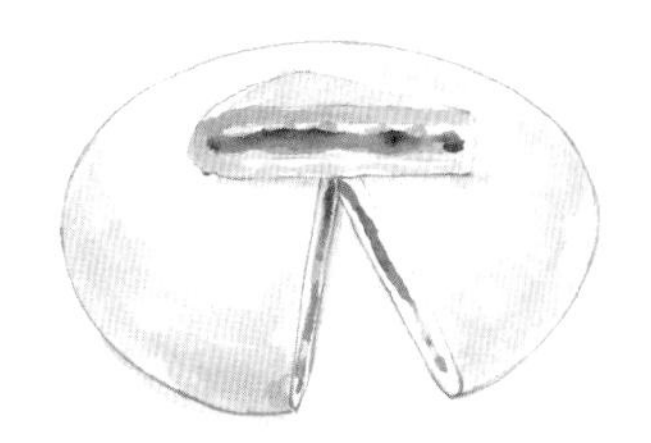

memo

エミリア-ロマーニャ州に古くより伝わるクリスマス菓子。
小麦粉、白ワインで練り上げた生地にたっぷりのハチミツ、ナッツ、
ドライフルーツが詰まった風味ゆたかな伝統菓子。

材料

生地

薄力粉　220g
無塩バター　50g
グラニュー糖　100g
白ワイン　80g
オリーブオイル　少量

リピエーノ

ハチミツ　250g
コニャック　45g
白ワイン　30g
クルミ　100g
アーモンド　50g
ヘーゼルナッツ　50g
オレンジピール　50g
ドレンチェリー赤、緑　各25gずつ
レーズン　50g
パン粉　50g
シナモン　少量
クローブ　少量
コリアンダー　少量
バニラエッセンス　少量

つくり方

〈生地のつくり方〉

1　ボウルに室温に戻し細かくカットしたバター、白ワイン、グラニュー糖を加え、泡立て器で混ぜ合わせる。

2　薄力粉と塩を加え、ゴムベラで生地をまとめていく。途中から手で混ぜ合わせていき、生地を一つにまとめていく。

3　生地がまとまったらラップで包み、30分冷蔵庫で寝かせる。

〈リピエーノのつくり方〉

1　アーモンド、クルミ、ヘーゼルナッツは180℃のオーブンでローストし、刻んでおく。

2　レーズンはぬるま湯につけ戻しておく。

3　ドレンチェリーは一度水で洗い、細かく刻む。

4　フライパンにハチミツ、コニャック、白ワインを入れ、火にかけ温める。

5　フライパンに刻んだナッツ類、ドライフルーツ類、パン粉、スパイス類を加え、ゴムベラで混ぜ合わせる。

6　火から下ろして粗熱を取る。

〈成形、焼き上げ〉

1　生地を半分に分け、打ち粉を打った台の上で厚さ5㎜の円形に伸ばしていく。

2　端から1㎝を残し、生地全体にリピエーノを敷き詰める。

3　残りの生地を同じように伸ばし、上から重ね生地の端を丸め込むか、生地の端をしっかり止め、パイカッターなどで上からぐるりと一周カットする。

4　オーブンシートを敷いた天板に乗せ、180℃で40～45分軽く焼き色がつくまで焼く。

5　粗熱が取れたら全体に粉糖をふりかける。

Veneto

ヴェネトのお菓子

イタリア北部ヴェネトは地理的背景から見ても小麦などの育ちにくい貧しい土地柄で、大量のトウモロコシが栽培されていたり、酪農が盛んでバターなどが手に入れやすかったり、有名なグラッパ蒸留所があったりと、それらの特産物を用いたお菓子が多くあります。

"Zaleti"（ザレーティ）の名前の由来は、トウモロコシ粉が主原料で黄色く焼き上がり"gialletti"（黄色く小さいもの）と言う意味合いから名づけられました。つぶつぶした独特の食感とグラッパ漬けレーズンの味わいで、小さな焼き菓子サイズの"Zaleti"や、ずっしり大きく焼き上げる"Zaleto"など、ヴェネツィアのお菓子屋さんには欠かせない、こよなく愛される地元の焼き菓子です。

"Bussolai buranelli"（ブラーノ風ブッソライ）、"Esse"(エッセ)はヴェネツィアのブラーノ島起源のビスコッティで、卵黄をたっぷり使った優しい味わいが特徴です。"羅針盤"という名のブッソライ、アルファベットのSを象ったエッシなど、こちらもヴェネツィアでこよなく愛される焼き菓子です。
小さく焼き上げるものや大きく焼き上げるものなど、さまざまなサイズがお店に並びます。

"Torta nicolotta"（トルタニコロッタ）"はヴェネト州に古くから伝わる郷土菓子で、ヴェネツィアの"サンニコロ教会"発祥とされています。元来、古く硬くなったパンを牛乳で浸し、卵、小麦粉、ドライフルーツやナッツを入れ焼き上げた"貧しい"（素朴）な焼きっぱなしのお菓子です。菓子屋よりもパン屋や家庭で古くから楽しまれてきたお菓子で、各家庭、パン屋によりレシピもさまざま。
クルミ、松の実、レーズン、フェンネルシード、グラッパ、レモンの皮とヴェネト州らしい材料がメインとなります。
硬くなったポレンタやリンゴを混ぜて焼き上げる"Pinza veneta"（ヴェネト風ピンツァ）など、古い食材を再利用するお菓子がヴェネト州には多く見られます。

Zaleti

ザレーティ

memo

ヴェネツィアで親しまれているレモン、バターの風味ゆたかな
トウモロコシ粉のつぶつぶ食感が楽しい焼き菓子。

材料

薄力粉　150g
コーンミール　120g
無塩バター　100g
グラニュー糖　75g
全卵　1個
レーズン　75g
ベーキングパウダー　4g
塩　ひとつまみ
レモンの皮のすりおろし　1/2個分
バニラエッセンス　少量
グラッパ　20g

つくり方

1 レーズンはぬるま湯につけて柔らかく戻し、水気を切った後にグラッパをふりかけておく。

2 ボウルに室温に戻して柔らかくしたバター、グラニュー糖を加え、泡立て器で白くもったりするまでよく混ぜる。

3 全卵を加え、さらによく混ぜる。

4 薄力粉、コーンミール、ベーキングパウダー、塩、レモンの皮のすりおろし、バニラエッセンス、レーズンを加え、生地が一つにまとまるまで混ぜる（生地の具合を見ながら、粉が足りないようなら薄力粉を加える）。

5 ラップで生地を包み、冷蔵庫で1時間落ち着かせる。

6 25gずつ生地を取り分け、ひし形に成形する。

7 オーブンシートを敷いた天板に生地を乗せ、180℃で15～20分焼き色を見ながら焼く。

Bussolai buranelli, Esse

ブラーノ風ブッソライ、エッセ

memo

ヴェネツィアで親しまれている小麦粉、卵黄、バターの
シンプルながら味わい深い御当地焼き菓子。

材料

薄力粉　250g
グラニュー糖　150g
卵黄　3個分
無塩バター　75g
ベーキングパウダー　2g
バニラエッセンス　少量
レモンの皮のすりおろし　1/2個分
塩　ひとつまみ

つくり方

1 ボウルに卵黄、グラニュー糖を加え、泡立て器で白くもったりするまでよく混ぜる。

2 薄力粉、ベーキングパウダー、細かく刻んだバター、レモンの皮のすりおろし、バニラエッセンス、塩を加え、手早く生地をまとめる。

3 ラップで生地を包み冷蔵庫で1時間落ち着かせる。

4 25gずつ生地を取り分け、手のひらで棒状に伸ばし、生地の端と端をつなげリング状に成形する(ブッソライ)。同じく手のひらで棒状に伸ばしS字に成形する(エッセ)。

5 オーブンシートを敷いた天板に乗せ、180℃で20分焼く。

Torta nicolotta

トルタニコロッタ

memo

ヴェネツィアの教会発祥菓子。パンを牛乳に浸し、砂糖、卵、バター、小麦粉、胡桃、レーズンを加え焼き上げるフェンネルの風味がアクセントのヴェネツィア風パンプディング。

材料

パン　100g
牛乳　300g
薄力粉　50g
ベーキングパウダー　8g
無塩バター　50g
全卵　1個分
グラニュー糖　100g
レーズン　100g
松の実　25g
クルミ　25g
レモンの皮のすりおろし　1/2個分
バニラエッセンス　少量
フェンネルシード　15g
グラッパ　30g

つくり方

1　ボウルにパンを細かくちぎり、牛乳を加えて染み込ませておく。レーズンはぬるま湯につけ柔らかく戻し、水気を切ってグラッパをふりかける。

2　ボウルに全卵、グラニュー糖を加え、泡立て器でよく混ぜる。

3　溶かしたバターを加え、さらに混ぜ合わせる。

4　薄力粉、ベーキングパウダー、レーズン、刻んだクルミ、松の実、フェンネルシード、レモンの皮のすりおろし、バニラエッセンス、牛乳に浸して柔らかくしたパン(牛乳ごと)を加え、ゴムベラでさっくり混ぜ合わせる。

5　オーブンシートを敷いたバットに生地を流し込み、180℃のオーブンで約60分焼く。

Friuli-Venezia Giulia, Trentino-Alto Adige

フリウリ - ヴェネツィア・ジュリア、
トレンティーノ - アルト・アディジェのお菓子

"Gubana"（グバーナ）は、フリウリ東部スロヴェニア近郊の山間地域の"Valli del natisone"（ヴァッリデルナティソーネ）発祥の郷土菓子です。
発酵生地にさまざまなナッツ、レーズン、カカオパウダー、スパイス、洋酒でつくった具材を敷き詰め、巻き込んで渦巻き型に成形し焼き上げる発酵パン菓子です。折りたたむと言う意味のスロヴェニア語"Guba"（グーバ）から名前がつきました。
起源も古くクリスマス、結婚式、パスクア（復活祭）、お祭りなど、祝い事には欠かせない御当地菓子です。現地ではスリヴォヴィッツ（東欧原産のプラムブランデー）をふりかけて食べるのが御当地ルール。

同じフリウリ州でもゴリツィア県やトリエステ県には"Putizza"（プティッツァ）、"Presnitz"（プレスニッツ）など親戚と呼べるお菓子があり、どれもハンガリー・オーストリア帝国時代の影響を受けたものが多くあります。お隣のスロヴェニアの郷土菓子"Potica"（ポティカ）など、東欧に似たような渦巻き発酵パン菓子が多数存在します。

"Zelten"（ツェルテン）はイタリア北東部トレンティーノ-アルト・アディジェ州に古くから伝わるクリスマス菓子です。
ドイツ語県内でもあり、ドイツ語の"selten"（ゼルテン）に由来し"滅多にない、珍しい"と言う意味で、年に一度のクリスマスを祝う特別なお菓子として親しまれてきました。
このお菓子には"アルト・アディジェ風"と"トレンティーノ風"の2種類があります。前者はライ麦の発酵生地にレーズン、イチジク、デーツ（西洋なつめやし）、オレンジピール、ナッツ、スパイス、洋酒が入り、表面にアーモンド、クルミ、ドレンチェリーで彩られ、ハチミツを塗って仕上げるしっかりした食感のもの。後者はふんわりバターケーキのような仕上がりにドライフルーツやナッツが入り、表面は同様にナッツやドレンチェリーで彩られています。
アルト・アディジェ風のものはフランスのアルザスに伝わるクリスマス菓子の"ベラベッカ"やドイツにも同様の発酵菓子があり、似たルーツを持つものがあります。

Gubana

グバーナ

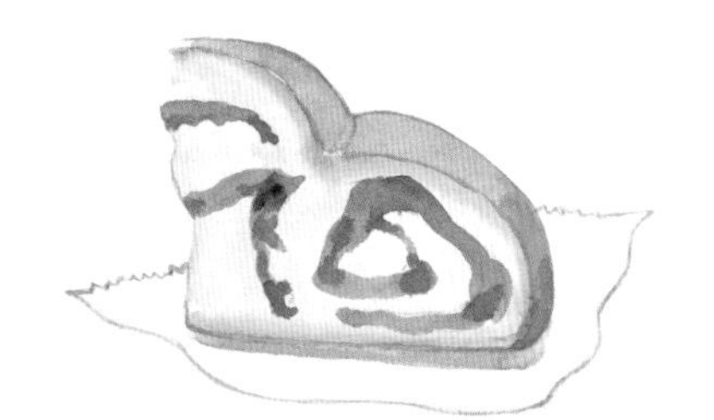

memo

フリウリに古くから伝わるクリスマス菓子。発酵生地にさまざまなナッツ、レーズンなどでつくった詰め物を敷き詰めて巻き込み、渦巻き型に成形し焼き上げる発酵パン菓子。

材料

生地中種

A
- 強力粉　100g
- 水　70g
- ドライイースト　8g

本ごね生地

B
- 強力粉　100g
- 薄力粉　40g
- 塩　ひとつまみ

C
- 全卵　1個分
- 卵黄　1個分
- バニラエッセンス　少量
- 牛乳　10g
- ハチミツ　10g

グラニュー糖　80g
バター　40g

リピエーノ

D
- アーモンド　60g
- ヘーゼルナッツナッツ　60g
- クルミ　60g
- レーズン　60g
- 無塩バター（溶かす）20g
- グラニュー糖　100g
- ハチミツ　20g
- バニラエッセンス　少量
- ココアパウダー　20g
- シナモンパウダー　10g
- グラッパ、またはスリヴォヴィッツ（西洋すももの蒸留酒）40g
- ラム　40g
- レモンの皮のすりおろし　1個分

つくり方

〈生地のつくり方〉

1　ボウルにAを加え、さっくりと混ぜ合わせる。ラップをかけ常温で60〜90分寝かせる。

2　ボウルに1の中種とBとグラニュー糖を入れる。

3　Cを合わせて溶いたものを2のボウルに少しずつ加えていき、混ぜ合わせていく。

4　細かく刻んだバターを加え、さらによく混ぜ合わせていき、生地を叩きつけるようにまとめていく（手にくっつきやすいので必要に応じ打ち粉をする）。

5　全体にツヤが出て一つにまとまったら、ラップをして常温で約2時間（生地が2倍にふらむまで）寝かせる。

〈リピエーノのつくり方〉

1　ナッツ類は180℃のオーブンでローストし、細かく刻んでおく。レーズンはぬるま湯につけ柔らかく戻し、水気を切り細かく刻んでおく。

2　ボウルにDを加え、ゴムベラでよく混ぜ合わせる。

〈成形、焼き上げ〉

1　発酵した生地を打ち粉をした台に乗せ、麺棒で約20cm×60cmの長方形にのばす。

2　のばした生地の上にリピエーノを巻き終わりの部分だけ残して全体に敷きつめる。

3　リピエーノを巻き込むように生地の端からくるくると巻き込んでいき、綴じ目をしっかり綴じる。

4　綴じ目を下にしてカタツムリ型になるようにぐるりと巻き、巻き終わりの生地を少し引っぱってのばし、生地の下に入れる。

5　オーブンシートを敷いた天板に乗せ、ボウルを被せた30分ほど寝かせる。

6　溶き卵を全面に塗り、190℃のオーブンで15分、180℃で30分焼く（焼き色がつき過ぎる場合はアルミホイルを被せる）。

7　焼き上がったら全面をキッチンペーパーで包み、大きめのビニル袋に入れ袋を閉じ、生地の水分を飛ばさないように粗熱を取る（できあがりがしっとりします）。

8　好きなサイズに切り分け、グラッパまたはスリヴォヴィッツ（西洋すももの蒸留酒）を吹きかける。

Zelten trentino

トレンティーノ風ツェルテン

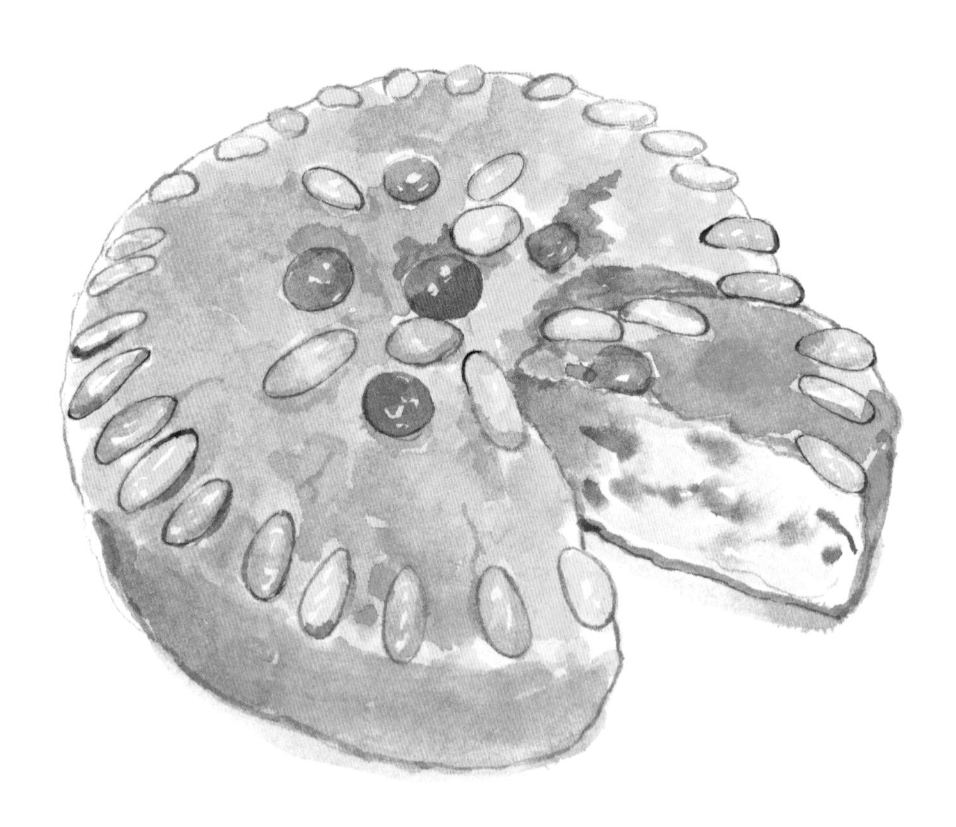

memo

トレンティーノ地方に古くから伝わるクリスマス菓子。
ふんわりバター生地にさまざまなドライフルーツ、ナッツ、スパイスの風味ゆたかな味わい。

材料

薄力粉　180g
ドライイチジク　120g
グラニュー糖　65g
バター　50g
牛乳　100g
クルミ　30g
レーズン　30g
松の実　30g
アーモンド　30g
ヘーゼルナッツ　30g
オレンジピール、レモンピール　各30g
全卵　2個
ベーキングパウダー　12g
シナモンパウダー　少量
クローブ　少量
皮なしアーモンド　適量（飾り用）
松の実　適量（飾り用）
ドレンチェリー赤　適量（飾り用）

つくり方

1 ナッツ類は180℃のオーブンでローストし、細かく刻んでおく。レーズンはぬるま湯につけ柔らかく戻し、水気を切っておく。ドライイチジクも細かく刻んでおく。

2 ボウルに室温に戻したバターとグラニュー糖を加え、泡立て器で白くもったりするまで混ぜる。

3 全卵を1個ずつ加えながら、泡立て器でさらに混ぜる。

5 牛乳を加え、さらに混ぜ合わせる。

6 刻んだナッツ類、ドライフルーツ類、薄力粉、ベーキングパウダー、シナモン、クローブを加え、ゴムベラでさっくり混ぜ合わせる。

7 オーブンシートを敷いた型に生地を流し込み、生地を平らにならす。

8 生地の表面に半分に切ったドレンチェリーを中心に皮なしアーモンド、松の実を組み合わせて花柄になるように可愛らしく並べる。

9 180℃のオーブンで50～60分焼く。

Zelten dell'Alto Adige

アルトアディジェ風ツェルテン

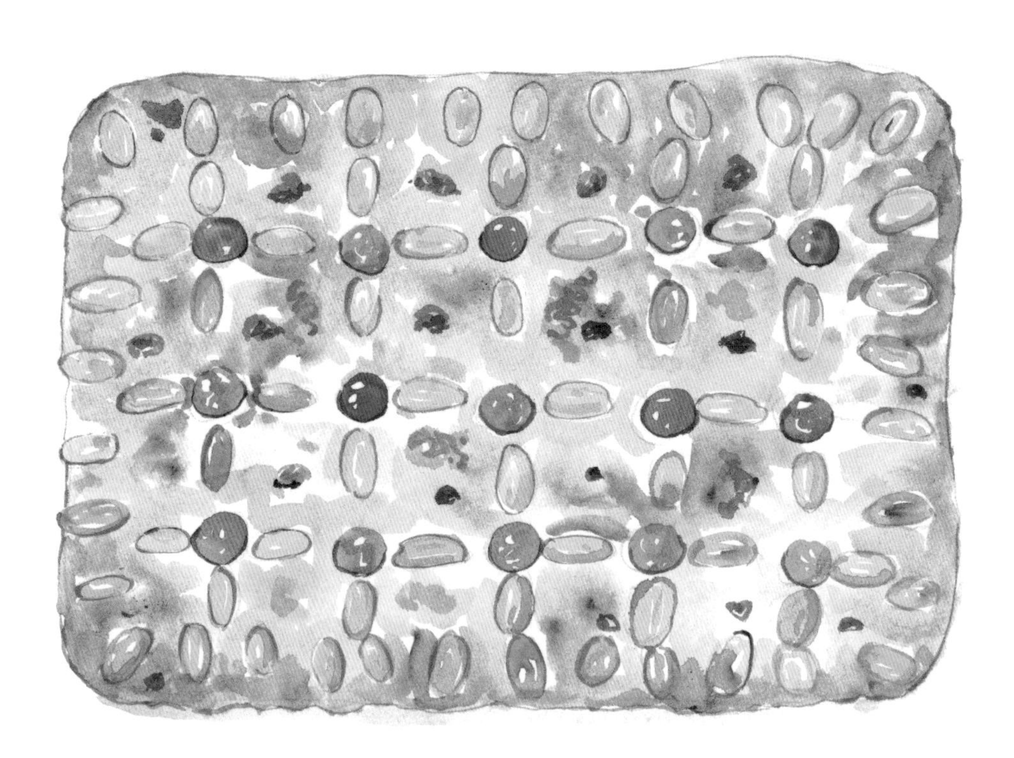

memo

アルト・アディジェ地方に古くから伝わるクリスマス菓子。ライ麦発酵生地に
ドライフルーツ、ナッツがぎっしり詰まったスパイス、洋酒の風味ゆたかな味わい。

材料

生地
薄力粉　75g
ライ麦　50g
水　75g
オリーブオイル　20g
ドライイースト　6g
アニスシード　少量
クミンシード　少量
ハチミツ　20g

リピエーノ
ドライイチジク　250g
レーズン　120g
松の実　50g
アーモンド　50g
クルミ　50g
ヘーゼルナッツナッツ　50g
オレンジピール、
　レモンピール　各30g
オレンジの皮のすりおろし　1/2個
レモンの皮のすりおろし　1/2個
ラム酒　60g
白ワイン　30g
ハチミツ　60g
シナモンパウダー　適量
クローブ　適量
コリアンダー　適量

仕上げ用
皮なしアーモンド　適量
松の実　適量
クルミ　適量
ドレンチェリー赤　適量
ハチミツ　40g
水　10g

つくり方

〈生地のつくり方〉

1　ボウルに薄力粉、ライ麦、ドライイースト、アニスシード、クミンシードを加える。

2　水、オリーブオイル、ハチミツを合わせたものを少しずつ加えていき、手でこね合わせ一つにまとめていく。

3　ボウルにラップをかけ、室温で生地が2倍に膨らむまで発酵させる(60～90分)。

〈リピエーノのつくり方〉

1　ナッツ類は180℃のオーブンでローストし、細かく刻んでおく。レーズンはぬるま湯につけ柔らかく戻し、水気を切っておく。ドライイチジクは細かく刻んでおく。

2　ボウルに刻んだナッツ、ドライフルーツ類、スパイス各種、オレンジの皮のすりおろし、レモンの皮のすりおろし、ラム酒、ハチミツ、白ワインを加え、ゴムベラで混ぜ合わせる。

〈成形、焼き上げ〉

1　2倍に膨らんだ生地にリピエーノを加え、しっかり混ぜ合わせる。

2　オーブンシートを敷いた天板に生地をハート型や長方形、丸型に成形する。

3　生地の端は皮なしアーモンドで飾りつけ、半分に切ったドレンチェリーを中心に皮なしアーモンド、松の実を組み合わせて花柄になるように可愛らしく並べる。

4　170℃のオーブンで45分焼く。

5　フライパンでハチミツと水を加えた物を煮たたせ、焼き上がった生地の表面に刷毛で塗る。

Lombardia

ロンバルディアのお菓子

イタリア北部ロンバルディアに伝わる郷土菓子は、地域により寒冷地で小麦栽培に適さず、トウモロコシ栽培が盛んだった背景によりトウモロコシ粉を使うお菓子が多くあります。また平原地帯は畜産業が盛んなため、バターやクリームを使ったお菓子も多数あります。

"Amor polenta"（アモールポレンタ）はロンバルディア州北西部ヴァレーゼの御当地菓子。トウモロコシ粉のつぶつぶした食感とアーモンド粉のしっとりとした口当たり、トウモロコシ粉独特の甘みのある優しい味わいのトルタです。近代菓子になると"Amor castagna"（アモールカスターニャ）といった栗の粉とトウモロコシ粉でつくる栗の粉の優しい甘さと香りがたまらない同じ型で焼き上げるお菓子もあります。

"Sbrisolona"（ズブリゾローナ）は、ロンバルディア州マントヴァの御当地菓子。トウモロコシ粉を主原料とする農民発祥のお菓子です。ストゥルットと合わせて焼き上げたザクザクしたお菓子で、手やナイフで切り分け、グラッパをふりかけて食べるのが現地流。州を跨いだヴェネト州トレヴィーゾにも同じようなルーツの"Fregolotta"（フレゴロッタ）と言うお菓子があります。どちらもボロボロと非常に崩れやすい食感のお菓子です。

"Torta donizetti"（トルタドニゼッティ）はロンバルディア州ベルガモの御当地トルタで、ベルガモ出身のオペラ作曲家ドニゼッティの名がついた、地元の人にこよなく愛されるお菓子です。ドライアプリコットやドライパイナップルが入った優しい味わいのふんわりした食感がたまりません。

その他同州のお菓子に、ブレシア地方には"Bossolà"（ボッソラ）と呼ばれるバターをふんだんに使用したふんわり食感のクリスマス菓子や、"Pan de mej"（パンデメイ）、"Pan meino"（パンメイーノ）といった、その昔は"mej"（粟の粉）でつくられていたが、現在はトウモロコシ粉を使って焼かれるようになった甘食のような見た目のお菓子があります。このお菓子は4月23日の"聖ジョルジョの日"を祝うお菓子として親しまれています。
ロンバルディアのお菓子にとってトウモロコシ粉は欠かせない材料となっています。

Amor polenta

アモールポレンタ

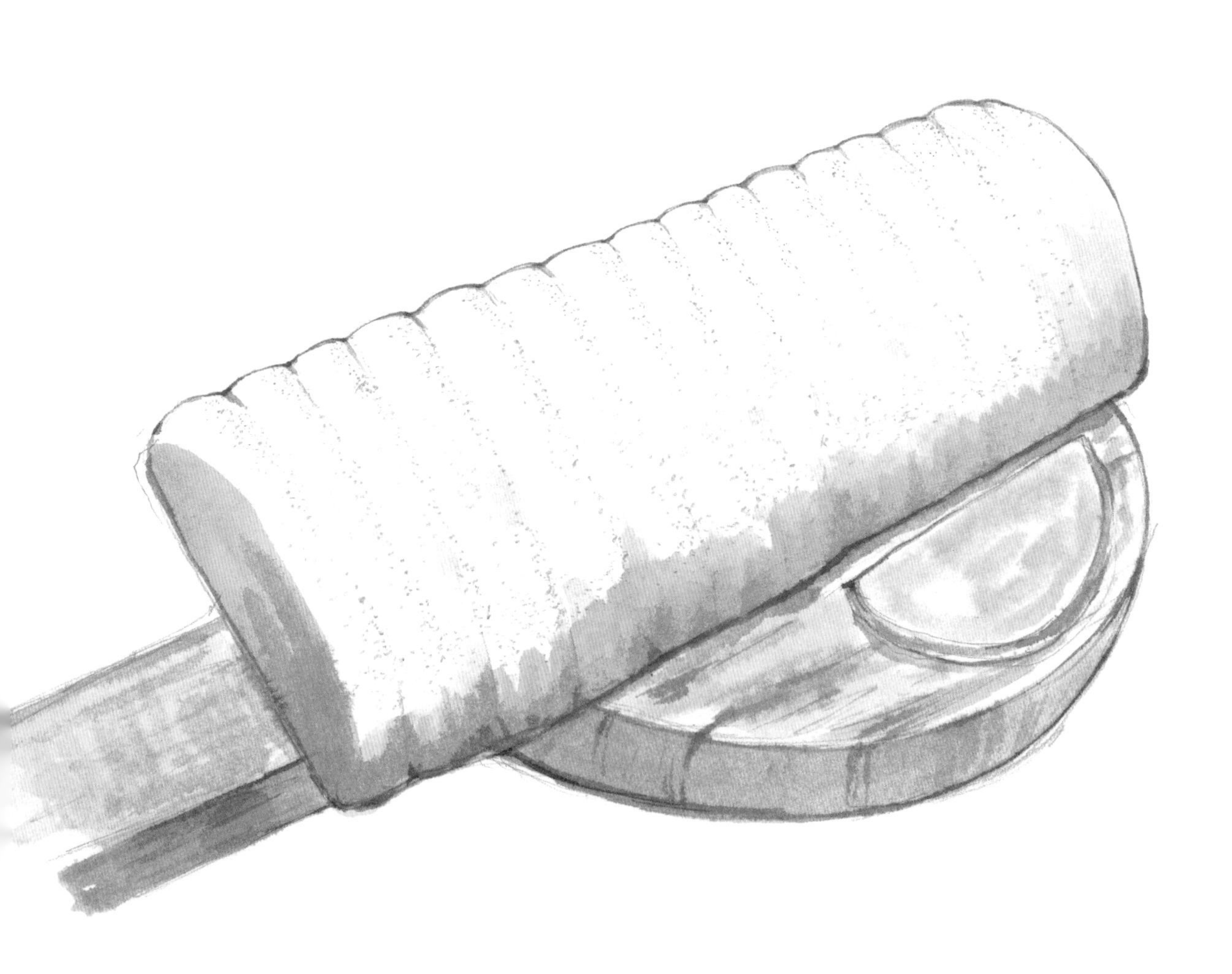

memo

トウモロコシ粉とアーモンド粉でつくる独特の食感がたまらない優しい味わいの御当地トルタ。

材料 (10.8㎝×25㎝レーリュッケン型　1台分)

コーングリッツ　100g
薄力粉　80g
アーモンドプードル　70g
無塩バター　100g
グラニュー糖　120g
全卵　2個分
バニラエッセンス　少量
レモンの皮のすりおろし　1/2個分
ベーキングパウダー　8g
ストレーガ(ラム酒、グラッパでも可)　10g

つくり方

1 粉類とベーキングパウダーを合わせてふるっておく。

2 ボウルにグラニュー糖と室温に戻して柔らかくしたバターを適度なサイズにカットして加え、ハンドミキサーで白っぽくもったりするまでよく混ぜる。

3 バニラエッセンスと全卵2個分を溶いたものを少しずつ加え、さらに混ぜる。

4 ふるっておいた粉類を加えてゴムベラでさっくり混ぜ、ストレーガ(リキュール)を加え軽く混ぜ合わせる。

5 バターを塗って粉をふった型に生地を流し込み、180℃のオーブンで40分焼く。冷めたら型から外し、粉糖をふる。

Sbrisolona

ズブリゾローナ

memo

トウモロコシ粉とアーモンド、ラードのザックリ食感とボロボロ崩れる口溶けの味わい深い御当地菓子。

材料（直径22㎝の丸型　1台分）

薄力粉　100g
コーングリッツ　100g
皮つきアーモンド　100g
卵黄　1個分
グラニュー糖　100g
無塩バター　50g
ストゥルット　50g
バニラエッセンス　少量
レモンの皮のすりおろし　1/2個分
塩　ひとつまみ

つくり方

1　アーモンドを粗みじん切りにする。

2　ボウルに薄力粉、コーングリッツ、グラニュー糖、卵黄、塩、レモンの皮のすりおろし、バニラエッセンスを加え、ひと混ぜする。

3　常温に戻し1㎝角に切ったバターとストゥルットを加え、指先でつまむようにして小さな塊をつくっていき、粗みじん切りしたアーモンドを加えて軽く混ぜ、ボロボロ崩れるくらいの生地にする（練って生地をまてめないこと）。

4　バターを塗った型に生地を敷き詰め、飾り用の皮つきアーモンド8～10粒を全体に置き、分量外のグラニュー糖を全体に軽くふる。180℃のオーブンで約25分焼く。

Torta Donizetti

トル タドニゼッティ

memo

ベルガモの御当地トルタ。
ふんわりした食感にドライフルーツがアクセントの優しい味わいのトルタ。

材料（直径20㎝リング型　1台分）

薄力粉　40g
片栗粉　60g
グラニュー糖　60g
卵黄　4個分
卵白　2個分
無塩バター　160g
レモンの皮のすりおろし　1/2個分
ドライアプリコット　30g
ドライパイナップル　30g
ベーキングパウダー　12g
マラスキーノ　20g

つくり方

1 ドライアプリコット、ドライパイナップルを細かく刻み、マラスキーノを加える。粉類とベーキングパウダーを合わせてふるっておく。

2 ボウルに室温に戻し柔らかくしたバターとグラニュー糖を入れ、ハンドミキサーで白っぽくもったりするまでよく混ぜる。

3 卵黄を少しずつ加え、その都度よく混ぜる。

4 別のボウルに卵白を入れ、ハンドミキサーでしっかり角が立つまで泡立てる。

5 泡立てたメレンゲを少しずつ3のボウルに加え、ゴムベラでさっくり混ぜ合わせる。

6 粉類とドライフルーツを加え、さっくり混ぜ合わせる。

7 バターを塗って粉をふった型に生地を流し込み、180℃のオーブンで約40分焼く。

8 冷めたら型から外し、粉糖をふる。

Piemonte

ピエモンテのお菓子

イタリア北部ピエモンテの郷土菓子は、畜産業が盛んなためバターをたっぷり使うようなお菓子や、ヘーゼルナッツの産地ならヘーゼルナッツを、山岳地帯で小麦が育たず、そば粉が栽培される地域ではそば粉を使うお菓子が親しまれています。
またフランスからの流れなどもあり繊細な食感のお菓子が多くあります。

"Baci di dama"（バーチディダーマ）は、ピエモンテ州トルトーナ発祥の焼き菓子。小さな半球形に焼いたクッキー生地を、チョコレートを間に挟み張り合わせた形から"貴婦人のキス"と言う名前がつけられました。アーモンドパウダー以外にも、ピエモンテ州特産のヘーゼルナッツパウダーでつくられたものもあり、サクッともろく崩れる食感がたまらない焼き菓子です。

"Krumiri"（クルミリ）はトリノの東に位置するカザーレモンフェッラートに伝わる焼き菓子で、への字の独特の形は"ヴィットーリオ・エマヌエーレ2世"の髭の形を模したと言われ、別名"エマヌエーレの髭"とも呼ばれています。バター、卵、バニラとピエモンテ州らしいフランスの流れを汲んだ材料でつくられ、バターの香りゆたかなお菓子です。食感を出すためにトウモロコシ粉を入れるレシピもあります。

"Amaretti piemontesi"（ピエモンテ風アマレッティ）はリグーリア州、トスカーナ州、ロンバルディア州、サルデーニャ州とさまざまな州に御当地アマレッティがありますが、中でもピエモンテ州のものが一番有名です。
元を辿ればルネッサンス期のヴェネツィアが発祥とされ、フランスへ渡り後のマカロンとなったとも言われるアーモンド、卵白、砂糖で作られる素朴な味わいの焼き菓子です。本来苦アーモンドとアーモンドの2種類のパウダーを使うことより、"アマーロ"（苦み）と言う意味から名づけられたイタリアを代表する焼き菓子です。

"Lingue di gatto"（猫の舌クッキー）はフランス発祥のラングドシャがピエモンテに流れつき根づいた、バターの香りがたまらない、猫の舌の形のサクサク焼き菓子です。トリノ伝統の"Merenda Reale"（王宮のおやつ）ではバーチディダーマ、メレンゲ、猫の舌クッキーなどの小菓子とホットチョコレートが定番です。

Baci di dama

バーチディダーマ

memo

アーモンド粉とバターのさっくりほろっと食感の生地に
チョコレートを挟んだ"貴婦人のキス"の名前で親しまれている焼き菓子。

材料

アーモンドプードル　100g
薄力粉　100g
無塩バター　100g
グラニュー糖　75g
ビターチョコレート　適量（仕上げ用）

つくり方

1 粉類、グラニュー糖を合わせておく。

2 バターを細かく刻む（冷蔵庫から出したての冷たいものを使用すること）。

3 ボウルにすべての材料を入れ、手早く全体をまとめる。

4 10gずつに丸め、オーブンシートを敷いた天板の上に間隔を空けて並べる。

5 160℃のオーブンで約20〜23分焼く。

6 チョコレートを細かく刻み湯せんで溶かし、焼き上がった生地の片面の中心部にチョコレートをつけ、別の生地を被せ2つをくっつける。

Krumiri

クルミリ

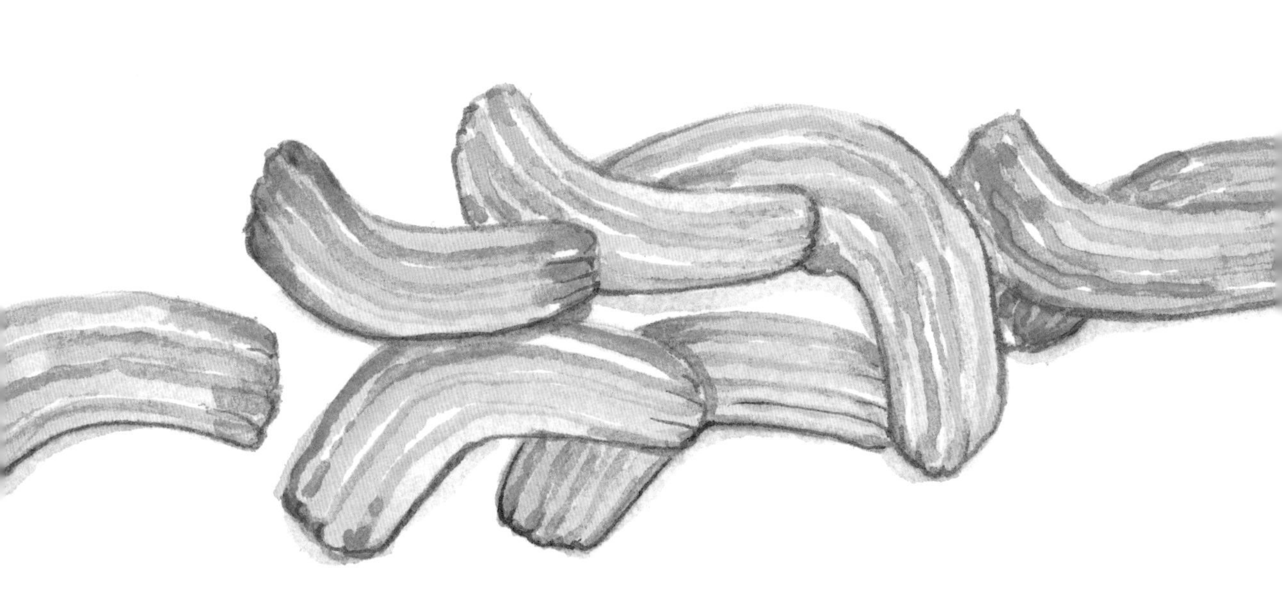

memo

トリノ郊外カザーレ・モンフェッラート発祥のバターとバニラの香りゆたかな"ひげ形"の焼き菓子。

材料

薄力粉　350g
グラニュー糖　140g
無塩バター　110g
全卵　1個分
卵黄　1個分
バニラエッセンス　適量
塩　ひとつまみ

つくり方

1　ボウルに室温に戻し柔らかくしたバターとグラニュー糖を入れ、ハンドミキサーを使い白くもったりするまで混ぜる。

2　全卵、卵黄、バニラエッセンス、塩を加え、さらによく混ぜる。

3　薄力粉を加え、生地をまとめる。

4　直径1cmの口がギザギザした口金をつけた絞り袋に生地を入れ、オーブンシートを敷いた天板の上に5cmの「への字」に絞り出す。

5　180℃のオーブンで約15分焼く。

Amaretti piemontesi

ピエモンテ風アマレッティ

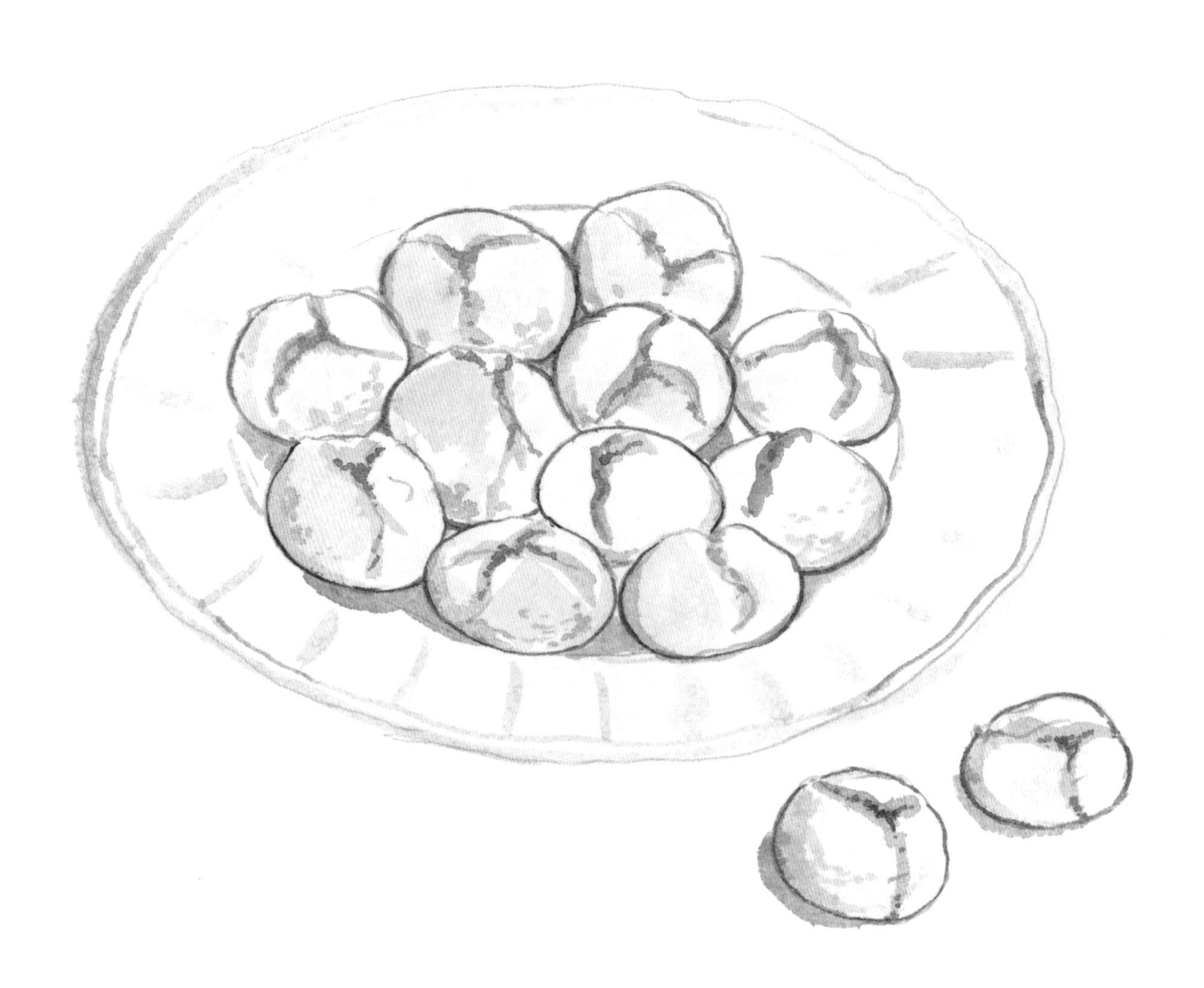

memo

口いっぱいに広がるアーモンドの香りゆたかな軽い食感の焼き菓子。

材料

アーモンドプードル　200g
グラニュー糖　125g
粉糖　125g
卵白　2個分
アーモンドオイル　数滴（または杏仁霜　10g）

つくり方

1 ボウルに卵白を加え、ハンドミキサーでよく混ぜる。グラニュー糖を3回に分けて加え、その都度よく混ぜ、しっかり角の立つメレンゲをつくる。

2 アーモンドプードルと粉糖を合わせる。

3 粉類とアーモンドオイル（または杏仁霜）を泡立てたメレンゲに加え、ゴムベラで切るように混ぜ合わせる。

4 ボウルにラップをかけ、冷蔵庫で60分休ませる。

5 15gずつに丸め、オーブンシートを敷いた天板に間隔を空けて並べる。

6 170℃のオーブンで約20分焼く。

Lingue di gatto

猫の舌クッキー

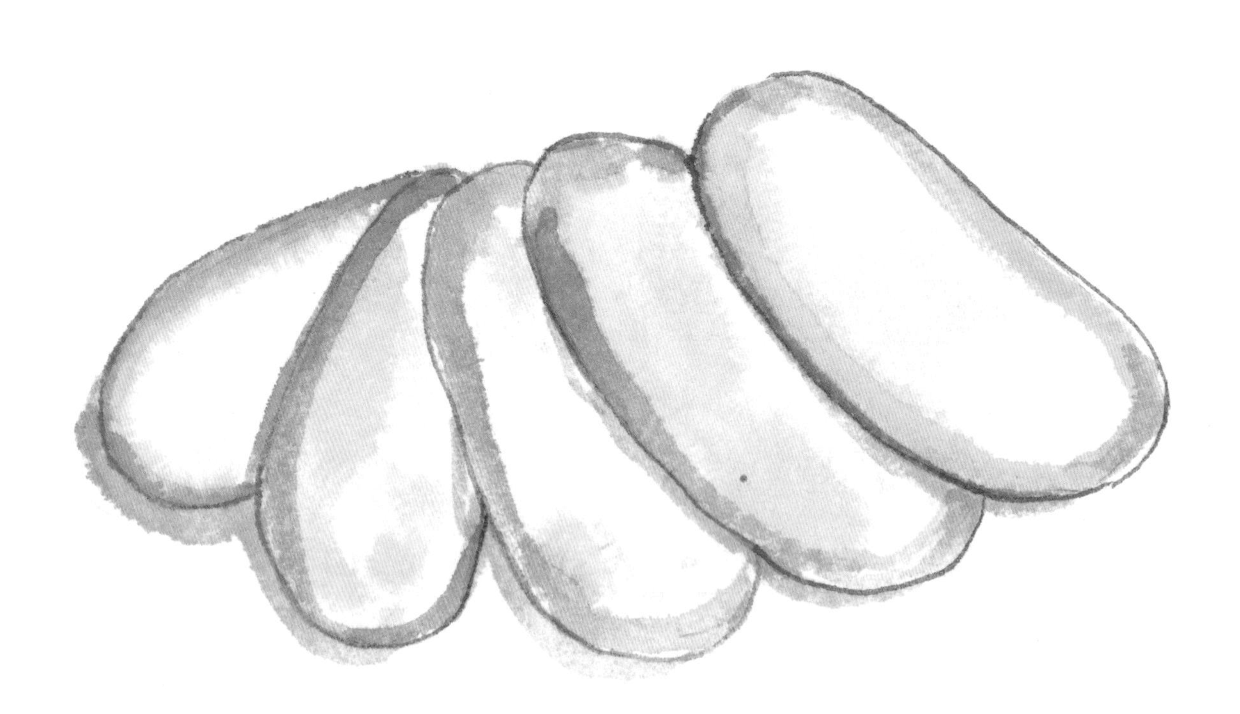

memo

薄くさっくりした食感が楽しい"猫の舌"という意味の焼き菓子。

材料

薄力粉　50g
無塩バター　60g
粉糖　50g
卵白　2個分
バニラエッセンス　数滴

つくり方

1 ボウルに室温に戻して柔らかくしたバター、卵白と粉糖を加え、ハンドミキサーで白くもったりするまでよく混ぜる。

2 薄力粉、バニラエッセンスを加えよく混ぜ合わせる。

3 別のボウルで卵白を泡立て、しっかり角の立つメレンゲをつくる。

4 メレンゲを2のボウルに3回に分けて加え、ゴムベラでさっくり混ぜ合わせる（1回目はしっかり混ぜ合わせ、2回目以降は泡をつぶさないようにさっくりと）。

5 丸口金をつけた絞り袋に詰め、オーブンシートを敷いた天板に長さ6㎝に間隔を空けて絞り出す。

6 200℃のオーブンで8分焼く。

DOLCI DELLE FESTE ITALIANE

イタリアのお祭り菓子

イタリアには1年を通じてさまざまなお祭りがあります。
全土共通のお祭りもあれば、御当地限定のお祭りなどもあり伝わるお菓子もさまざまです。
どんなものがあるのか見てみましょう。

1月8日

EPIFANIA

エピファニア"公現祭"

CARBONE DOLCI　炭のお菓子

2～3月

CARNEVALE

カルネヴァーレ"謝肉祭"

FRITTELLE　フリッテッレ
CHIACCHIERE　キアッケレ
(GALANI　ガラニ, CROSTOLI　クロストリ)
MIGLIACCIO NAPOLETANO　ミリアッチョ
SCHIACCIATA ALLA FIORENTINA
フィレンツェ風スキアッチャータ

3月19日

San Giuseppe

父の日

Zeppole di San Giuseppe
ゼッポレ ディ サンジュゼッペ

Sfincia di San Giuseppe
スフィンチャ ディ サンジュゼッペ

3〜4月

Pasqua

パスクア

Colomba コロンバ
Gubana グバーナ
Pastiera napoletana パスティエラ
Ciaramicola チャラミコラ

11月1日

Tutti i santi (Ognissanti)

諸聖人の日

11月2日

Commemorazione dei defunti

死者の日

Ossa dei morti 死者の骨
Brustengolo ブルステンゴロ
Castagnaccio カスタニャッチョ

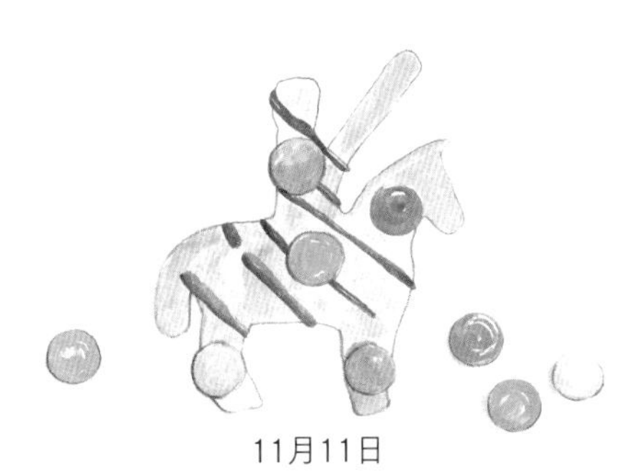

11月11日

Festa di San Martino (Venezia)

サンマルティーノのお祭り

Biscotti di San Martino

サンマルティーノのビスコッティ

12／25

Natale

クリスマス

Panettone パネットーネ
Pandolo パンドーロ
Pampepato パンペパート
Gubana グバーナ
Spongata スポンガータ
Zelten ツェルテン
Torciglione トルチリオーネ
Buccellato ブッチェッラート
Pitta'n chiusa ピッタンキューザ

パン

小麦文化が発達したイタリアでは、パスタ以外に各地域に根差したさまざまなパンやフォカッチャ、パン菓子があります。

"Focaccia genovese"（ジェノヴァ風フォカッチャ）は、数あるフォカッチャの中でも広く知られているイタリア北西部リグーリア州ジェノヴァの御当地フォカッチャ。オリーブオイルと塩がふられた表面は柔らかく、底がサクッとした食感の平たいフォカッチャは、料理にはもちろん、小腹を満たすおやつにも欠かせません。ブラックオリーブを乗せたもの、玉ねぎスライスを乗せたものなど、さまざまな味わいが楽しめます。

"Focaccia barese"（バーリ風ジャガイモのフォカッチャ）は、イタリア南部のかかとに位置するプーリア州バーリの御当地フォカッチャ。ジャガイモが練り込まれた厚めの生地にミニトマトとブラックオリーブ、オレガノの組み合わせ。ふんわり生地に底のカリッとした食感がたまりません。ビールとの相性抜群のフォカッチャです。

"Grissini"（グリッシーニ）は、日本でも広く知られているおつまみパン菓子です。イタリア北部ピエモンテ州のトリノが本場で、カリカリ食感がたまりません。生ハムを巻きつけて食べたり、ブラックペッパーやチーズ味のものなど、多種多様なグリッシーニがあります。また、北東部のフリウリのウディネ県には"Grispolenta"（グリスポレンタ）と呼ばれるトウモロコシ粉ベースのグリッシーニもあり、トウモロコシ粉の甘さと食感がたまりません。

"Taralli pugliesi"（プーリア風タラッリ）は、イタリア南部のかかとに位置するプーリア州名産のザクザク食感がたまらないお酒のアテにぴったりな塩味パン菓子。フェンネル風味のスタンダードのものから、ブラックペッパー、チーズ、トマトやバジルなど、さまざまな味わいがあます。バールやメルカートに並ぶ小さなものから、パン屋や家庭で焼かれる大きなリング状のものまで多種多様です。

"Taralli napoletani"（ナポリ風タラッリ）は、カンパーニャ州ナポリの御当地タラッリ。タラッリの屋台などもあり、ザク切りアーモンドの食感とラード、ブラックペッパーのきいた塩味パン菓子です。ビール片手に一つ、また一つと手が止まらなくなります。

～Pane～

Focaccia genovese

ジェノヴァ風フォカッチャ

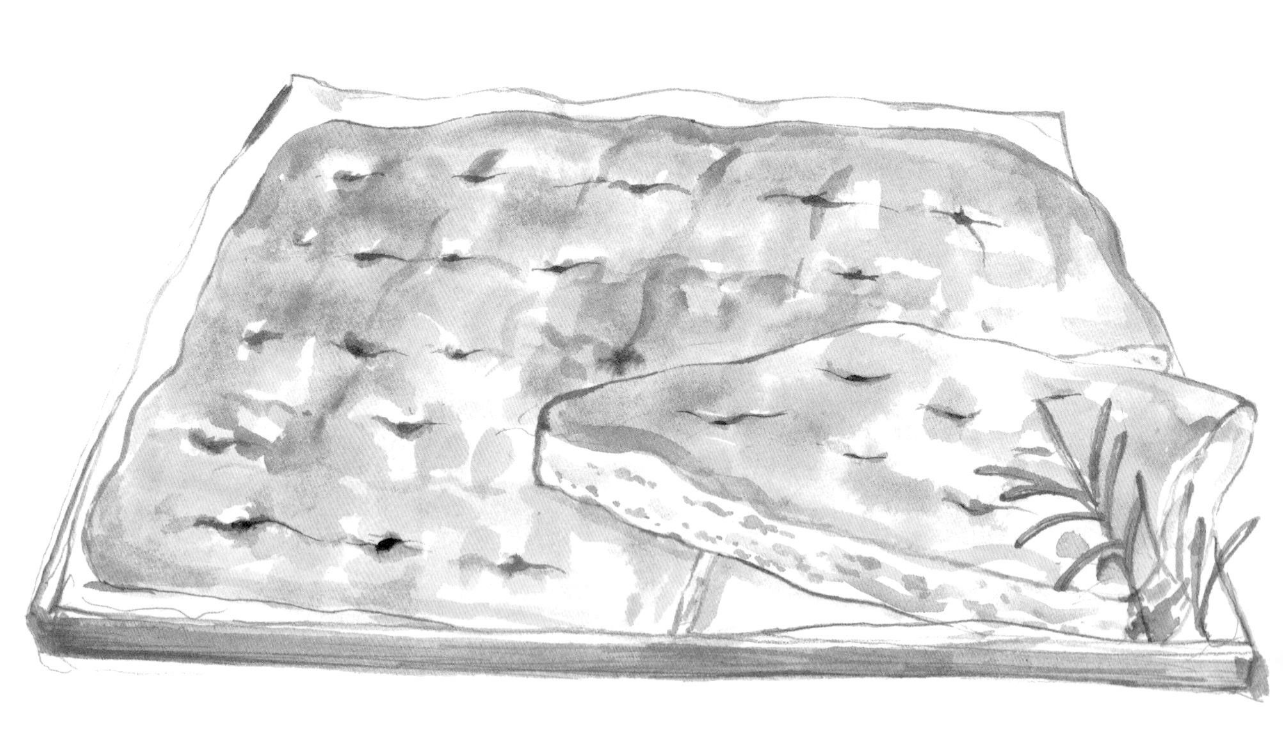

memo

リグーリア州ジェノヴァで親しまれている表面はカリッと中はふんわり食感のオリーブオイルと塩がアクセントのフォカッチャ。

材料（25cm×35cmの天板1枚分）

強力粉　150g
薄力粉　130g
水　160〜170g
オリーブオイル　5g
モルトシロップ（またはグラニュー糖）　3g
ドライイースト　3g
塩　6g
オリーブオイル　適量（仕上げ用）
粗塩　適量（仕上げ用）

つくり方

1 ボウルに水150g、オリーブオイル、モルトシロップ（またはグラニュー糖）を入れ、よく混ぜる。

2 強力粉と薄力粉を合わせふるったものを半量加え、分量の残りの水でドライイーストを溶いたものを加え、スケッパーでまわりの粉を切り込むように混ぜる。

3 残りの粉類と塩を加え、粉気がなくなるまで手で練ってまとめていく。

4 ベタつきがなくなり一つにまとまってきたら、時より叩きつけながらコシを出すように練る。

5 生地に綺麗なツヤが出てまとまったらラップをかけ、室温で15分休ませる。

6 生地を台に出し、1〜2回生地を内側に折り込む。

7 天板にオリーブオイルを薄く塗り、生地をを転がし表面にオイルをまとわせ、室温で2倍の大きさになるまで約60分発酵させる。

8 生地を指や手のひらで天板いっぱいに押し広げ、室温でさらに30〜40分休ませる。

9 生地の全体に仕上げ用のオリーブオイルをふりかけ、粗塩をふりかける。

10 指で生地を押し込んでくぼみをつくり、室温でさらに60〜90分発酵させる。

11 220℃のオーブンで20分焼き、焼き上がったら網に乗せて冷ます。

～ Pane ～

Focaccia barese

バーリ風ジャガイモとプチトマトのフォカッチャ

memo

プーリア州バーリで親しまれている、じゃがいもが入った生地とプチトマト、ブラックオリーブがアクセントのふんわりフォカッチャ。

材料

強力粉　100g
セモリナ粉　100g
薄力粉　50g
水　150g
ジャガイモ　75g
グラニュー糖　1g
塩　8g
オリーブオイル　10g
ドライイースト　2g

仕上げ用
ミニトマト　2パック
種なしブラックオリーブ　適量
ドライオレガノ　適量
オリーブオイル　適量
塩　少々

つくり方

1 ジャガイモは茹でて皮をむき、つぶしておく。粉類はすべて合わせてふるっておく。

2 ボウルに水、オリーブオイル、グラニュー糖、ドライイーストを入れ、よく混ぜる。

3 粉類を加えて混ぜ合わせ、粗熱のとれたジャガイモと塩を加え力強く混ぜ合わせていく。

4 時々叩きつけるように練り、全体がまとまってきたらラップをかけ、室温で2倍の大きさになるまで約60分発酵させる。

5 ミニトマトを半分に切り、ブラックオリーブはスライスし、ドライオレガノ、塩、オリーブオイルを和えておく。

6 型にオリーブオイルを塗り、生地を乗せ手のひらで全体に押し広げる。

7 ミニトマトの切り口を下にして生地の全体に押し込むように並べる。ブラックオリーブも同様に並べる。

8 室温でさらに30分発酵させ、220℃のオーブンで20〜30分こんがり焼き色がつくまで焼き上げる。

Pane
Grissini
グリッシーニ

memo

イタリアの定番おつまみ。カリッとした食感と小麦の旨味が詰まった味わい。
さまざまな味つけが楽しめます。

材料

強力粉　250g
水　140g
オリーブオイル　25g
モルトシロップ（またはグラニュー糖）　小さじ1/2
塩　4g
ドライイースト　3g
セモリナ粉　適量（仕上げ用）
オリーブオイル　適量（仕上げ用）

つくり方

1 ボウルに水とドライイースト、分量の強力粉を少量加え、混ぜ合わせていく。

2 オリーブオイル、塩、モルトシロップ（グラニュー糖）と残りの強力粉を加え、ボウルの外側から切り込むように混ぜる。

3 生地がまとまりだしたら力を入れず優しく練り、時々ボウルに叩きつけ表面がなめらかになるまで10分ほど練る。

4 台にセモリナ粉をふり、生地を麺棒で30㎝×10㎝の長方形にのばす。表面にオリーブオイルを刷毛で塗り、上からセモリナ粉を全体にふりかける。室温で2倍になるまで約60分発酵させる。

5 生地の短い辺から1㎝幅に1本ずつ切り分け、生地の中心を軽く持ち力を加えず上下に優しくふりながら左右に伸ばしていく。

6 天板に間隔を空けて並べ、200℃のオーブンで20分焼き上げる。

~ Pane ~

Taralli pugliesi

プーリア風タラッリ

memo

プーリア州で親しまれているフェンネルの香りゆたかな味わいと、
手が止まらなくなる食感のおつまみパン。

材料

強力粉　250g
オリーブオイル　62g
白ワイン　62g
塩　6g
フェンネルシード　少量

つくり方

1 ボウルに強力粉、塩、フェンネルシード、オリーブオイルを加え、指先で水分と粉を触れ合わせるように混ぜ込んでいく。

2 粉全体にオイルがいき渡ったら、白ワインを少しずつ加えながら混ぜ込んでいく。

3 まとまってきたらボウルに叩きつけるようにしながら、全体がなめらかになるように練る。

4 ボウルにラップをかけ、室温で60分休ませる。

5 30gずつに取り分け、細長くのばし、くるりと丸めて両端をしっかりつなぎリング状にする。

6 沸騰したお湯に塩を少量加え、生地を茹でる。直ぐに浮き上がってくるので布巾の上に広げて水気を取る。

7 天板に並べ、220℃のオーブンで約20分焼く。

〜 Pane 〜

Taralli napoletani

ナポリ風タラッリ

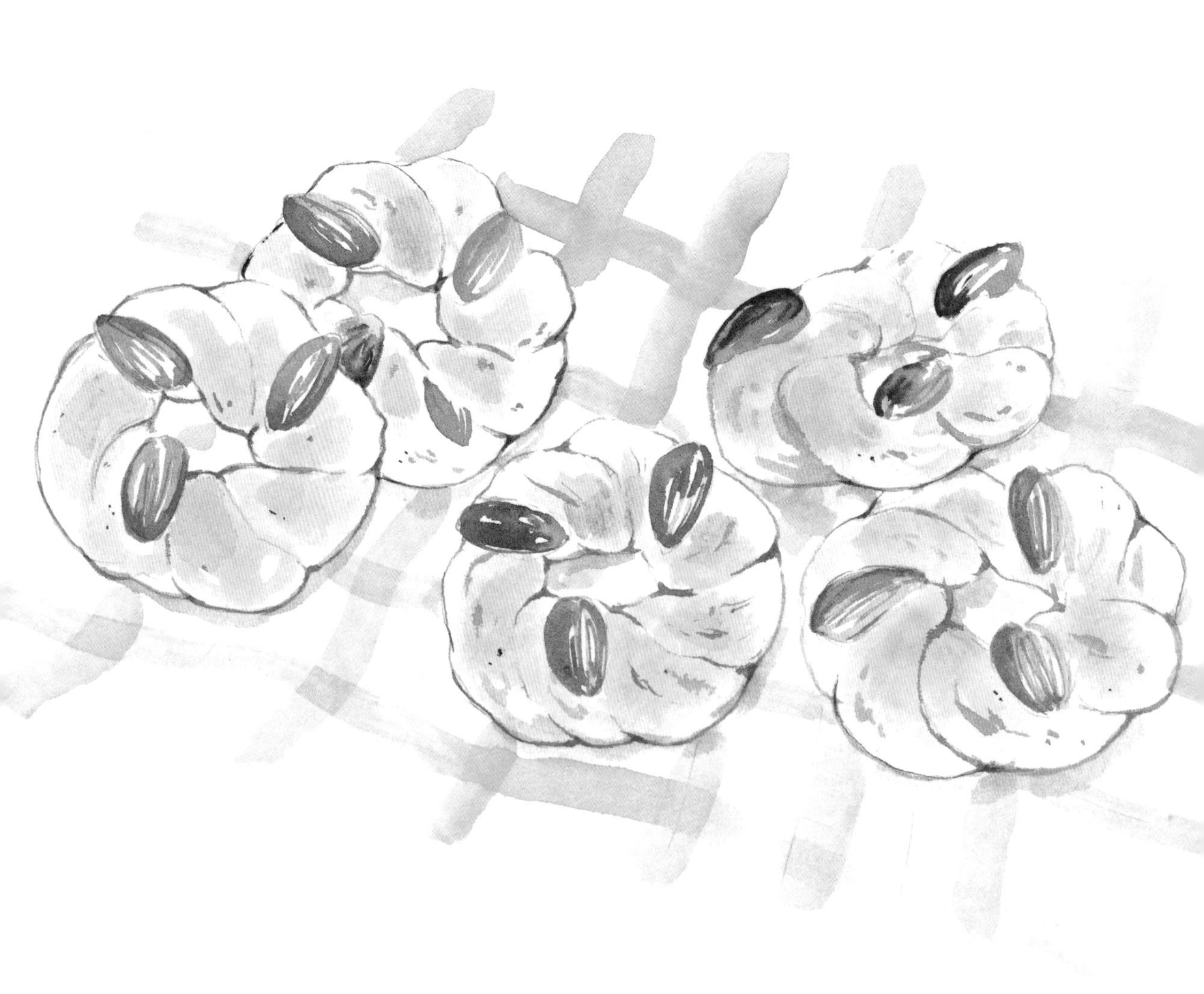

memo

ナポリで親しまれているアーモンド、ブラックペッパーの風味ゆたかなスナック的存在のパン菓子。

材料

強力粉　250g
ストゥルット（ラード）　100g
アーモンド　75g
水　60g
塩　5g
ブラックペッパー（粗挽き）　5g
ドライイースト　3g
アーモンド　適量（飾り用）

つくり方

1 分量の水と強力粉の少量をドライイーストを合わせておく。アーモンドを細かく刻む。

2 ボウルに溶いたイーストと残りの強力粉、水を加え、混ぜ合わせる。ラード、塩を加え、さらに混ぜる。

3 生地がまとまりだしたら、ブラックペッパー、細かく刻んだアーモンドを混ぜ込み、さらに練る。

4 ボウルにラップをかけ、室温で2倍の大きさになるまで約60分発酵させる。

5 生地を30gずつ取り分け、細長く伸ばす。

6 細長く伸ばした生地を2本並べ、2本の生地を編み込み、くるりと丸めてリング状にする。飾り用のアーモンドを3個乗せる。

7 天板に並べ180℃のオーブンで30～35分焼く。

Caffè e Bar

カッフェ&バール

イタリアではカッフェに始まりカッフェで終わる...と言われています。
"Bar"（バール）とはイタリア人には欠かせない、1日に何度も訪れる井戸端会議場のような空間で、エスプレッソや焼き菓子、パン菓子、パニーノ、ジェラート、食前酒、食後酒まで...さまざまな用途で楽しめます。

Espresso
エスプレッソ

バールでカッフェと言ったらこれのこと。25〜30ccのトロリと濃厚なコーヒー豆の旨味が凝縮された味わい。スプーン大盛りの砂糖を入れて飲むとカラメルのような味わいに!!
イタリア南部ナポリなどでは20〜25ccとより少なく熱々のカップに抽出されます（お店によっては予め砂糖が入っていることも...）。

Cappuccino
カップッチーノ

エスプレッソにたっぷり空気を含ませたフォームミルクを加えた飲み物。朝はフワッフワのカップッチーノとコルネット（イタリア式クロワッサン）が定番です。

Caffè macchiato
カッフェマッキアート

マッキアートとは"染み"と言う意味。カッフェマッキアートはエスプレッソにほんの少しのフォームミルクを垂らしたもの。

Latte macchiato
ラッテマッキアート

こちらはスチームした牛乳にエスプレッソで染みをつけた牛乳たっぷりの飲み物。

Lungo

カッフェルンゴ

エスプレッソを少し長めに抽出した、コーヒーの旨味をそのままにたっぷり飲みたい人や、少し薄めのエスプレッソを飲みたい人におススメ!!

Ristretto

カッフェリストレット

抽出量のやや少ないエスプレッソ。
力強いコクと苦味、カッフェ本来の旨味が凝縮したメニュー。いつもよりガツンとカッフェをきめたい人にうってつけ!!

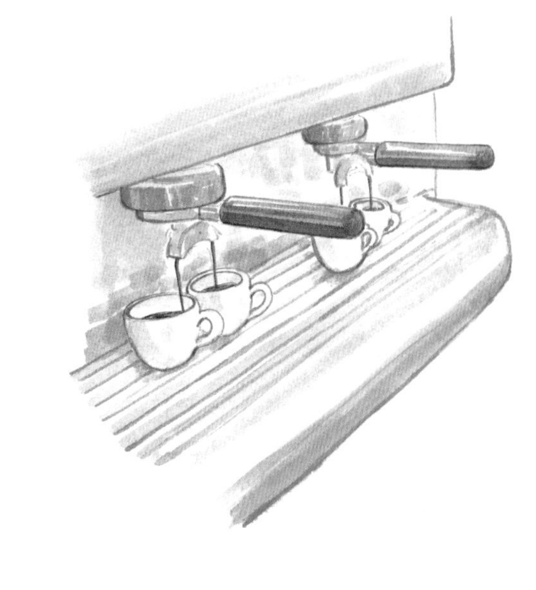

Corretto

カッフェコレット

エスプレッソにグラッパやアマレット、アマーロなどのお酒を少量垂らしたもの。寒い日や食後の一杯におススメ!!

Caffe con panna

カッフェコンパンナ

エスプレッソにたっぷりのホイップクリーム!! カッフェの力強い苦味とホイップの甘みがたまりません。

その他さまざまなカフェメニューや御当地メニューがあり、客の好みに合わせたカッフェを提供するバリスタが切り盛りするバールはまさに市民の憩いの場。
カルチョ（サッカー）の話や、世間話、待ち合わせ場所として...ほっと一息つく空間として...
是非イタリアンバールでさまざまな時間をお過ごし下さい♪

おわりに

イタリアの南から北まで、さまざまな州の郷土菓子をピノッキオとともに学んできましたが、いかがでしたでしょうか？
本書で紹介したお菓子はほんの一部分です。
イタリア各地にはまだまだ多くの郷土菓子が存在し、州ごとに特色豊かなものばかりです。イタリア郷土菓子は、同じイタリアでありながら、歴史的背景や地理的背景から見てもさまざまで、ルネッサンス期に栄えた貴族などの宮廷発祥のもの、また各地の修道院などでつくられたもの、農民がお祭りを祈願してつくられたものなど、多種多様です。
本書を手に取り少しでもイタリア郷土菓子に興味を持っていただけたなら幸いです。
ピノッキオとの終わりのないイタリア菓子の旅はまだまだ続きます...。

岩本 彬
Pasticceria Bar Pinocchio

岩本　彬（いわもと・あきら）

1987年、千葉県生まれ。少年期より14年間、神戸で生活し、ドイツ菓子やイタリア菓子などの洋菓子に身近に触れる。2010年の4月より3カ月イタリアに滞在。現地のイタリアン・バールに住み込みながら、バールで働く。その時にお世話になったお菓子屋さんのおばあちゃんからイタリア各地の郷土菓子を習い、イタリア菓子に魅了される。
帰国後、国内のイタリアン・バールや個人経営店でバリスタとして働きながら、文通を介してイタリア菓子を習い、買い漁ったイタリア菓子の本なども参考に独学で菓子づくりを学ぶ。広尾のイタリアン・バールや杉並区富士見ヶ丘のバーカロ（ヴェネツィア料理店）など、さまざまなお店でお菓子を担当。2018年、富士見ヶ丘に小さなイタリア郷土菓子屋"Pasticceria Bar Pinocchio"をオープン（2020年春、同じく富士見ヶ丘の地下街の一室に移転）。街の小さなお菓子屋さんとして、地元民やイタリア好きの方が集う場所となる。2020年11月22日に交通事故に遭い、"Pasticceria Bar Pinocchio"は惜しまれながら閉店した。現在、リハビリを続けながら、イタリア菓子の紹介、普及活動を続けている。

向井順子（むかい・じゅんこ）

2000年、画家としてフィレンツェで活動開始。サン・ロレンツォ教会前に小さな絵の工房を構える。2005～2009年、ヴェッキオ宮殿近くのモスカ通りに地元のアーティストや美術留学生らが作品展示する3坪ギャラリーを開く。当時6歳 の息子と二人展を開催。2010年、ミケランジェロ広場近くのモンテ・アレ・クローチ通りに工房を移す。2017年、2018年、飯田橋・嶋田ミュージックで個展。2018年、アートスペース88国立でジュエリー作家の桑山亜樹氏と二人展。2019年、飯田橋・嶋田ミュージックで楽器製作家嶋田茂氏と二人展。2019年、第1回ちこらブックスキャラクター絵本大賞佳作受賞。2020年9月、フィレンツェを舞台にした音楽絵本『はしのいえ』出版。

ピノッキオと巡るイタリアお菓子の旅

ISBN978-4-7747-9203-3 C0077

著　者　岩本　彬　向井順子
発行人　杉原葉子
発行所　株式会社コスミック出版
〒154-0002　東京都世田谷区下馬6-15-4
代表TEL.03-5432-7081
営業TEL.03-5432-7084
FAX.03-5432-7088
編集TEL.03-5432-7086
FAX.03-5432-7090
http://www.cosmicpub.com/
振替　00110-8-611382
印刷・製本　株式会社リーブルテック

乱丁・落丁本は、小社へ直接お送りください。郵送料小社負担にてお取り替えいたします。